"나는 끝없이
타이핑하고
타이핑하고
타이핑한다."

금정연 옮김

시간의흐름。

수동
타자기를
위한
레퀴엠

요나스 메카스
금정연 옮김

Jonas Mekas with Sunshine, New York, 1974 ©Hollis Melton

2

4

여기 내 테이블 밑에서 찾은 두툼한 컴퓨터 용지 한 롤이 있다.

6

다른 용도로 사용하려던 것이었다. 실은, 아무 용도도 없었다.
그 위로 먼지가 두텁게 내려앉아 있었다. 비참하게 버려질 종이

8

뭉치였다고, 나는 생각한다. 오늘 저녁 나는 그것을 보았다.
휴지통을 비우려는데, 정말 우연히, 바닥에 놓여 있는 게
보였다. 그래, 나는 이 한 뭉치의 종이를 보았고,

10

몇 년 전에 내가 거기에 두었다는 사실을 떠올렸으며, 그날
저녁, 오스트레일리아에서 온 여자가 여기 있었다는 게
기억났는데, 홉킨슨 부인, 지금 내가 기억하기로 그녀의 이름은
홉킨슨 부인이었고, 그녀는 내가 테이블 아래 종이를 두는

12

모습을 보았으며, 그것을 바라보는 그녀에게 나는 말했다, 아,
정말 아깝죠, 결국 컴퓨터 기술이라는 것도 전부 종이 낭비에
지나지 않는다니까요, 저기에 소설이나 한번 써볼까 봐요,
당장은 아니고요, 제법 멋진 종이잖아요.
　　그래서 이제 그것을 테이블 밑에서, 바닥에서 꺼내 들었다.

14

나는 그 위에 쌓인 먼지를 닦아냈다. 내 올림피아 딜럭스
타자기에 종이를 넣기까지 약간의 문제가 있었지만, 어쨌거나
나는 해냈다. 그리고 나는 여기에 있다. 내 소설의 첫 번째
페이지에.

어떻게 소설을 시작하지? 특히 중요한 소설이라면?

이렇게 간단하게.

16

|

여기 내가 있다. 아무것도 아닌 곳에 있다. 내 인생은 비참한 갈림길에 섰다. 빨간불, 초록불. 아니면 충돌.

　그렇다, 나는 전적으로 아무것도 아닌 곳에 있고 모든 것을 숙고하고 거듭 숙고하고 있으며, 모든 것에는 끝도 없고, 답도 없고, 이 한 롤의 종이처럼 텅 빈 채로 끝없이 이어지는데, 정말이지, 어마어마하게 크고 무거운 종이 뭉치다. 지금 내

18

*   미국의 시인, 소설가이자 극작가.
** 미국의 소설가이자 문화 평론가.
*** 미국의 유명 극작가.

인생이 바로 그렇다.

친애하는 루소에게. 친애하는 아우구스티누스에게. 친애하는 캐시 애커*에게. 친애하는 린 틸먼**에게. 친애하는 리처드 포먼***에게:

이게 내 인생이라오.

세바스찬은 헨델의 〈소나타 4번〉을 연주하고 있는데, 무척 감미롭다. 이게 내 소설과 무슨 상관이냐고? 전혀 아무 상관도 없다. 그렇지만 나는 이것을 기록하고 있는데 내가 전혀

20

아무것도 아닌 것에 대한 소설을 쓰기로 마음먹었기 때문이다.
이 소설이 얼마나 길어질지, 내게 이것을 끝마칠 인내심이나
시간이나 배짱이 있을지에 대해서라면, 애당초 아무것도 아닌
것에 대한 소설을 끝낼 수 있다거나 끝내야 한다면 말이지만,
전혀 아무런 생각도 없다. 그렇지만 나는 결심했고, 내 결심은
이 컴퓨터 용지 한 롤을 다 쓰는 순간 소설의 마지막 문장
또한 쓰이리라는 것이었다. 하나 두려운 건 내가 컴퓨터에
대해 전적으로 무지한 탓에 이 종이 한 롤이 '타자기' 종이로
치면 몇 장일지 전혀 모르고 짐작조차 할 수 없다는 사실이다.

22

어쩌면 나는 끝도 없이 타이핑하고 타이핑하고 타이핑하면서
2000년을 맞을지도 모르지만, 지금, 이 순간은, 겨우 1997년
3월 25일이다.

아, 하지만 재앙은 예측할 수 없는 순간에 찾아오는 법! 나는
테이블 위에 묵직하게 놓여 있는 이 거대하고 황홀한 종이
롤의 윗부분을 실제로 감아올릴 수 있는 기제가 없다는 사실을
막 깨달았다. 정말 너무 무겁다. 그러니 이 문제를 어떻게
처리할지 결정해야만 한다. 그 때문에 독자들의 관심을 이
페이지에 붙잡아두려는 나의 노력이 흐트러지고 있다. 그래,

24

그게 핵심이다. 내가 읽은 모든 책에 그렇게 쓰여 있다. 좋은 작가라면 무릇 독자들이 읽고 있는 페이지에서 눈을 떼지 못하도록 만들어야 한다고. 아, 정말 끔찍한 일이야. 컴퓨터 용지는 이제 가리가리 찢기고 있다. 아직 붙어 있긴 하지만, 끔찍한 틈이 생겼다. 계속 붙어 있으면 좋겠는데, 이 소설의 요점이 바로 하나의 전체라는 것이기에 여기서 소설을 끝내기는 못내 아쉽기 때문이다! 물론, 모든 소설은 하나의 전체라는 인상을 줘야 한다. 그러나 나는 또한 내 소설이 길게 이어진 한 장의 종이 속에 전부 들어가기를 바랐다. 하지만 지금 보이는 건 간신히 붙어 있는 1인치뿐이다.

그리고 아, 또 다른 틈이 갈라지고 있다. 바라건대 첫 번째

26

것보다 심하지 않기를. 썩 좋아 보이진 않지만 내 소설을
붙들고 조금만 더 버텨주기를. 이건 사실, 내가 아니라, 문학
평론가들을 위해서다. 이러한 틈들은 매우 자연스럽고,
우연적이며, 의도된 플롯이나 주제나 기타 등등과는 아무
상관도 없다.

　실례, 잠깐 끊어야겠다. 타자기에서 나오고 있는 이 종이를
감아올려야, 어떻게든 감아올려야 하는데, 종이랑 소설이 마구
뒤얽혀서, 찢어질 지경이다.

　아, 그래요, 자꾸 방해해서 미안합니다. 내 생각엔 종이도
보호하고, 소설도 끊기지 않도록 종이를 감아올릴 방법을
찾아낸 것 같다. 비록 지금 내가 타이핑하는 문장이 바로 직전에
쓴 문장 위로 겹쳐지긴 하지만 말이다. 바로 그게 인생이

28

굴러가는 방식, 혹은 인생의 사건들이 벌어지는 방식, 혹은 인생이 그냥 그런 거 아닌가? 그건 아주아주, 거기에 아주를 한 번 더 써야 할 정도로 놀라운 일인데, 무거운 종이 뭉치 때문에 타자기의 줄들이 서로 뒤엉키는 것처럼 작고 대수롭지 않은 우연이 어떻게 당신이 쓰는 글에 영향을 미치는지, 만약 누군가 아주아주 날카롭게 관찰하기만 한다면, 그것이 무엇을 하는지, 어떻게 하는지, 그리고 무엇을 의미하는지 놀라지 않을 수 있을까? 놀랍군. 한 번이라도, 삶이 얼마나, 정말 얼마나 놀라운지 생각해본 적이 있는가? 나 역시 지금껏 그런 식으로는 한 번도 생각해보지 않았지만 지금은 그런 식으로 생각해보는 중이다……

    하지만 내 소설이 공격받고 있다! 여기 끔찍한 끊김/찢김이 보인다. 나는 완전히 찢어지지 않도록, 종이를 말아야만

30

했다. 자, 친애하는 독자여, 여기서 우리는 어떤 교훈을 얻을 수 있을까? 사실대로 말하면, 좋은 소설, 좋은 이야기는 늘, 항상, 켄 제이컵스*에 따르면, 끊임없이 뚝뚝 끊겨야만 하는데, 그렇지 않으면 지루하다. 그러니 지금 내 종이가 찢어지고 있는 건 잘된 일인지도 모른다. 내게 다른 것들을 고려해볼 짬이나 기회를 주기 때문이다. 생각한다는 말이 아니다. 나는 생각하는 걸 싫어한다. 나는 생각하는 사람이 아니다. 대부분 사람들은 내가 그렇게 말하면 믿지 않는다. 하지만 사실이다. 그래, 나는 생각하는 사람이 아니다. 진짜로 그런 건 아니지만, '진짜'라는 게 무슨 뜻이건 말이다. 나는 지금 막, 절대 생각하지 않는 사람치고는 놀라운 생각을 떠올렸는데, 방금 떠오른 생각은, 누구도 여어어엉원히 생각하지 않는 게 가능할까? 우리가 생각이라고 부르는 그 모든 가짜배기들은 단지 반사 작용, 자동적이고 기계적인 리액션일 뿐일까? 마치 쿵후처럼? 어?

32

그러나 지금은 늦은 밤이고 나는 이 종이 뭉치를 나의
타이핑으로 몽땅 채워버리겠다는 마음으로, 이 모든 헛소리를
타이핑하고 있다.

|

|

시간이 흘렀다. 많은 시간이. 8월 5일, 아마도. 소설을 쓰려고
시도해본 적이 있나? 너무 바보 같은 질문이군. 소설을 쓸
시간이 하나도 없는데 소설을 쓰려고 시도해본 적이 있나?
반복되는 일상의 관료주의적인 활동들에 진이 빠져 글쓰기라면
생각조차 하기 싫을 때? 그게 지금 내가 있는 곳이다. 하지만
나는 실수를 저질렀다. 테이블 앞에 앉았고, 타자기를 보았으며,
글을 써야만 했다. 타자기를 보는 즉시, 나는 글을 써야만 한다.
완전히 미친 소리처럼 들린다는 건 나도 알지만, 내 인생의
이야기는 늘 이런 식이었다. 종이와 타자기. 종이를 보면 나는
글을 쓸 생각부터 하고, 타자기를 보면, 완전 미쳐버린다.

34

*   미국의 시인, 공연 예술가, 작곡가이자 극작가.

** 미국의 시인인 로버트 스톡을 가리킨다.

글쓰기는 다른 무엇과도 별 관계가 없다. 종이와 타자기가
전부다. 그래요, 데리다 선생님. 여기, 아마도 제가 궁극의
해체주의자일지도 모르겠네요, 그렇게 보이지는 않더라도요.
실로 의미 있는 어떤 것도 없다. 단어들, 단지 단어들. 혹은, 좀
더 정확하게는, 문자들. 당신은 그냥 앉아서 타자기를 두드린다.
그게 전부다. 문자에 이어지는 문자, 단어에 이어지는 단어.
어떤 단어일 수도 있고, 다른 단어일 수도 있다—별 차이는
없다. 그저 타이핑일 뿐. 문학은, 친구여, 저기 바깥의, 현실
세계와는 아무 상관도 없다네, 현실 세계 같은 게 있다면
말이지만.

　있는 건 전부, 타이핑이다. 단어들, 단어들을 타이핑하는 것.
　그리고 그것들은 모두 그곳에, 사전 속에 있다. 당신이
관료주의를 좋아할지 모르겠지만, 알파벳순으로 정리된 채로.
사전은 학생과 교수들을 위해, 단어를 관료적으로 배열한
것이다. 나한텐 안 맞는다. 어쩌면 잭슨 맥 로*는 맞을 수도
있다. 밥 스톡**의 아파트에서 나는, 특별한 보면대 (성서대)

36

같은 종류의 탁자 혹은 책상 위에 놓여 있는 방대한 사전 앞에
선 잭슨의 모습을 종종 지켜보곤 했는데, 로버트가 자신의 방
가운데 둔 그것은 약간 제단 같아 보였고, 진짜 진짜 성스러워
보이는 그런 방식으로, 로버트는 그걸 거기에 두었는데,
10번로와 44번가 부근에, 그쯤 어딘가에, 잭슨 맥 로가 있었고,
밥도 있었고, 둘은 단어에 대한 이야기를 나누고 있었으며,
사전과 각각의 단어들의 어원과 역사를 어찌나 잘 알던지 나는
깜짝 놀랐고, 심지어 지금까지도 깜짝깜짝 놀라고 있다—바로
그게 내가 다른 사람이야 어떻게 생각하건 잭슨 맥 로가 오늘날
영어권의 가장 위대한 시인이라고 여기는 이유다. 어이쿠,
이제 적들이 생기겠군, 이런 말은 쓰지 말걸 그랬다. 그러나
이건 소설적인 내용은 아니다. 나는 인간의 감정, 느낌, 생각,
그리고 모든 종류의 갈등에 대해 써야 하지만 계속해서 옆길로
새고 있고, 초짜 소설가인 내게, 그건 그다지 희망적인 소식은
아니다. 내 생각에 나는 진짜 나만의 주제를, 이야기를 찾아내야
하고, 그렇지 않으면 난 가망 없는 꼰대에 지나지 않으리라,
만약 가망 없는 꼰대라는 말이 있다면 말이다. 내 말은, 진지한

38

문학에서 가망 없는 꼰대라는 말을 받아줄 건지, 말했듯이, 나는 진지하게 받아들여지기를 원한다.

아니 아니 아니. 너무 현학적으로, 너무 진지해지고 있다. 만약 내가 정말 소설가로 성공하고 싶다면 이 문장은 지워야 한다. 나는 정말 성공하고 싶다. 적어도 리처드에게, 리처드 포먼에게, 나도 소설을, 여러 장으로 이루어진 것이건 통으로 이어진 것이건, 쓸 수 있다는 사실을 증명하고 싶다. 전혀 다른 소설. 보라, 리처드의 소설에는 자잘한 이야기들이 수없이, 조각조각으로 들어 있다. 소설보다는 〖천일야화〗에 더 가까워 보인다. 자, 그런데 그는 소설이란다. 나라고 그러지 말란 법 있나? 최소한 내가 더 톨스토이적인 전통에 가까운 건 분명하다. 내게는 1001개의 이야기가 없다. 들려줄 하나의 커다란 이야기가 있을 뿐이며, 그것을 들려주려 노력하는 중이다. 그게 뭔지는 잊어버렸지만, 기억해내려고 애쓰고 있는데, 이야기, 내 말은, 진짜 이야기 말이다. 타이핑을 하고 있으면 기억날 것 같다. 그래, 타이핑. 그래, 결국 그게 전부다. 타이핑. 타이핑은 무척 진지한 일이다. 타이핑은 단어를 생산하고, 단어는 문장을 생산하며, 문장은 연결되기를 원하고

40

그래서 당신은 그것들을 어떻게 연결할지 생각하기 시작한다.
일종의 공학이다.

　　그런데 지금 나한테 새로운 심각한 문제가, 올림피아 딜럭스
타자기의 자판에 뭔가 문제가 생겼다. 잠깐, 이제 괜찮은 것
같네. 그래, 아마도 올림피아 타자기가 아니라, 내가 타이핑을
하면서 와인 한 병을 다 마셔버렸다는 사실이 문제인 것 같다.
어쨌거나 오늘밤은 여기서 그만둬야겠다, 와인과 타이핑 둘 다.

|

|

이건 한참 나중이다. 실은 많은 날이, 많은 주일이, 개월들이
지났다. 지금은 엄청 엄청 늦은 밤이고 나는 관료주의적인
일상 활동에 지친 채로, 간신히 눈만 뜨고 있다. 하지만 작가적
야망은 내게 계속해야만 한다고 말한다. 나는 절대 포기해서는
안 된다. 게다가, 나는 뭐든 쓰기 가장 좋은 시간은, 뭐든까진
아니더라도 최소한 소설을 쓰기 가장 좋은 시간은, 완전히
지쳐 나가떨어진 깊은 밤이라고 믿는다. 그때는 무엇도 진정한
공허를, 글쓰기를, 기타 등등을 방해할 수 없다, 진짜로.

|

그러나, 세상에, 진짜 재앙이 닥쳤다. 내 타자기 리본에 뭔가

42

끔찍한 이상이 생겼다. 내가 이걸 산 이유는 순전히 연민
때문이었다. 나는 가게를 막 오픈한, 좀 더 정확히 말하면 다시
오픈한 어느 사무용품점 양반을 도와주고 싶었는데—망하기
일보 직전이었다—하지만 이 리본은 너무 짧다, 맙소사, 너무
짧아. 5분마다 리본을 오른쪽에서 왼쪽으로 계속 바꿔줘야
하는데, 정말 짧아도 너무 짧다. 그것은 또한 내 올림피아
딜럭스가 망가졌다는 뜻이기도 하다. 리본은 원래 자동으로
전환돼야 하는 것이다. 하지만 내 올림피아에게는 자신만의
개성이 있다. 내가 이래라저래라 할 수는 없는 노릇이다.

|

|

어쨌거나, 여기 나는 다시 쓰고 있다. 쓰고 있다니! 나는 다시
타이핑을 하고 있다. 아, 단지 타이핑을 하는 건, 얼마나 기분
좋은 일인지. 그냥 타이핑하고 타이핑하고 타이핑하면 되는데,
왜 작가들은 늘 **무엇에 관해** 쓰고 싶어 안달인지 모르겠다.
작가들이라. 그들은 너무 많은 밤을 새우고 근심에 빠져
배회하고 뭐라도 쓸 거리를 찾아 죽도록 술을 퍼마시지만,
솔직히, 지금 나에게는 너무나도 명백한 일인데, 어떤 주제라는
게 있을 필요는 전혀 없다! 만약 당신이 작가라면, 그냥 써라,
내가 지금 그렇게 하는 것처럼. 그냥 쓰거나 혹은, 그렇게

44

---

* 메카스는 지금도 헷갈리고 있는데, 〖그들은 지나갈 수 없다!〗와 〖정글〗모두 업턴 싱클레어의 작품이다. 싱클레어 루이스의 대표작으로는 〖배빗〗〖있을 수 없는 일이야〗등이 있다.

하고 싶다면, 그냥 타이핑해라. 거기 당신, 당신은 정말로
작가가 되고 싶은가? 그럼 그냥 앉아서 써라! 이 말을 한
게 누구였더라? 내 생각엔, 『그들은 지나갈 수 없다!』를 쓴
싱클레어 루이스였던 것 같은데, 아니면 『정글』을 쓴 업튼
싱클레어였을까? 싱클레어라는 이름 때문에 나는 늘 둘이
헷갈린다.* 어쨌거나, 나는 두 작가를 모두 내가 꼬맹이였을 때,
아마도 열 살 무렵에 읽었고, 미국 어딘가에 있는 어느 대학의,
작가가 되는 방법에 대한 특강 자리에서, 그 작가는 얼빠진
문학도들을 향해 이렇게 말했다…….

　"그래 작가가 되고 싶다고? 그럼 앉아서 써!" 그게 끝이었다.
전설은 그렇게 시작되는데—그는 그렇게 말하고 걸어나갔다.
그에게 축복이 있기를. 나는 그보다 더 현명한 말을 알지
못한다. 그냥 쓰는 것의 황홀함! 순수한 글쓰기, 순수한 노래
부르기, 둘 다 똑같다. 당신은 그냥 노래한다. 혹은 그냥 쓴다.
아니면, 부디 나를 용서하시길, 그냥 찍거나. 당신은 영화를
만들지 않는다, 그냥 찍는다. 그냥 찍으면 되는데 왜 영화를
만드는가? 아, 뭔가를 하는 건 정말 끝내준다니까! 무엇이건,
전적으로 무엇이건! 이게 바로 내가 말하는 삶을 기념하는
방식이다! 나는 그냥 그런 사람이다……. 미친? 아니. 내
생각에 나는 주변 사람들 중에서 가장 정상적인 축에 속한다.
사실, 솔직하게 말하면, 나는 내 주변에 있는 사람 거개가

46

약간 비정상이라고 생각한다. 다양한 측면에서. 육체적으로, 정신적으로, 성적으로, 외계인적으로, 기타 등등. 뭐든 한번 대보라. 내가 이해할 수 있는 건 아무것도 없다. 실은 오늘 오후, 멀버리가를 걸어 내려가다가 내가 진짜 세계와 진짜 사람들에 대해 정말이지 아무것도 모른다는, 그런 생각이 드는 순간이 있었다. 진짜? 빌어먹을 진짜가 대체 뭐라고? 인생의 매 순간 나는 나를 당황하게 만드는 사람들, 상황들을 마주한다.

미안한데, 방금 파리 때문에 투덜거리면서 바이올린 연습을 멈춘 세바스찬과 사소한 언쟁을 벌이느라 타이핑을 멈췄다. 열린 창문을 통해 파리들이 점점 더 많이 들어오고 있다. 그래서 내가 말하길, 내일 네가 처리해야 할 일이 있다, 바로 차이나타운에 가서 파리잡이 끈끈이를 사는 일이다—알다시피, 끈끈이를 천장에 매달아두고 좀 지나면, 그게, 최소한 내 경험에 의하면, 모든 사람들이, 파리로 가득한, 수천 마리 파리들이 그 위에 달라붙어 있는 모습을 가리키며, 이렇게 말한다, 이건 어떤 종류의 예술 작품인가요? 그리고 그중 몇몇은 진지하다.

샛길로 빠져서 미안하다.

이로써 타이핑의 흐름이 완전히 막혀버렸다. 나는 '생각'이라고 말하고 싶었지만, 그만뒀다. 실제로, 그건 '타이핑'이다. 나는 또 이 멍청한 타자기 리본 때문에 정신이 사나워졌다. 그리하여, 마음을 다잡기 위해, 냉장고로 가서 포르투갈 와인 한 잔을 따라, 단숨에 절반을 비웠고, 이제

48

정상적인 타이핑 자세를 갖췄다. 적어도 그랬었다. 왜냐면 방금 우나가 집에 돌아오자마자 세바스찬의 바이올린 소리가 너무 크다나 뭐 그런 이유로 일종의 형제/자매 다툼을 시작했기 때문인데—형제/자매 상황의 가장 핵심은 전적으로 아무것도 아니라는 것이며—아, 아무것도 아닌 것, 이것이 이 소설 전체의 기본적인, 핵심적인 주제이고, 사실상 **아무것도 아닌 것에 관한 소설**이라고 할 수 있을 정도다. 하지만 나는 그런 식으로 이름 짓진 않을 작정인데, 그건 너무 식상한 아이디어다. 글쓰기의 세계는 믿을 수 없을 정도로 많은 것을 알고 똑똑해서 우리보다 저만치 앞서 있다. 결국, 매년 수백만 권의 책들이 출판되는 상황에서, 사실상 모든 것은 이미 쓰인 거나 다름없다고 나는 생각한다. 세바스찬은 내 오른쪽 귀에 찰싹 붙어서 바이올린을 연습하는데, 우나 말로는, 나를 미치게 하려고 그러는 거란다. 하지만 나는 아주아주 말짱하고, 적어도 아직은 말짱하며, 다만 타이핑이 뒤죽박죽일 뿐이다. 아, 이 모든 산만함. 하지만 스탠이 말했듯, 그게 축복인지도 모른다. 알다시피, 스탠은 세상만사를 축복이라 부르고, 그게 스탠이다. 스탠은 어떨까? 그가 뭘 하고 있는지 모르겠다. 나는 늘 무척 바쁘고, 친구들에게 소홀하고, 그들에게 전화하지 않으며, 몇몇 친구들은 거의 피하기까지 한다. 내가 어떻게 이 모든 세속적인 비즈니스에 붙들리게 되었는지, 어떻게 시간에 대한 통제력을 잃어버렸는지 모르겠다. 내게는 이렇게 타이핑할 시간을 빼면 아무것도 할 시간이 없다. 타이핑, 왜 하는지도

50

---

*   cabbage head, 구어로 '바보'라는 의미가 있다.

모르면서 하는 타이핑. 사람은 자기가 뭘 하고 있는지 알아야 한다. 하지만 나는 아무 생각도, 어떤 아이디어도 없다. 사실, 나는 아이디어를 싫어한다. 아이디어를 가진 사람들은 심지어 수상쩍기까지 하다. 최근 나는 어떤 이론을 개발했는데, 아이디어가 있는 사람들이 실은 무척 위험하다는 것이다. 그렇다, 아이디어는 **계획 세우기**와 쌍둥이다. 내게 아이디어가 있어…… 내게 계획이 있어…… 사람들은 말한다. 플랜. 파나마 운하. 내 느낌에 모든 계획과 모든 아이디어 뒤에는 총, 혹은 탱크, 혹은 원자 폭탄이 있다. 아니면 권총이 있거나. 하다못해 오래된 브라우닝 권총이라도. 좋지 않다. 그리고 나는 그런 것들을 좋아하지 않는다. 내가 좋아하는 건 양배추 머리* 위로 빗방울이 떨어지는 소리다. 아, 얼마나 끝내주는 소린지! 어떤 영화도, 어떤 시도 내게 그보다 큰 기쁨을 주지는 않는다. 나를 얼간이라고 불러라. 문화의 적이라고. 상관없다. 하지만 양배추 가득한 밭에서 양배추 머리 위로 내리는 빗소리란—아, 당신이 경험해보지 않았다면, 함께 있지 않았다면, 말해봤자 소용없고, 당신은 결코 이해할 수 없을 것이다. 말로는 표현 못한다. 그 소리의 울림. 그 소리의 색깔. 풍부함. 충만함. 도무지 설명할 방법이 없다.

|

다시 한 번 용지 문제로 끊김…….

이제 막 내 인생 이야기를 들려주려던 참이었는데. 내 인생의 모든 부침에 대해서. 환희와 비참에 대해서. 그러나 지금 나는 완전히 산만해졌다. 처음부터 다시 시작해야 한다. 집중하려고

52

*   미국의 영화 평론가이자 극작가.

노력 중이다. 사람들의 이마가 긴장감으로 팽팽해지는 모습을 볼 때처럼 집중하겠다는 건 아니다, 아니고. 내가 생각하는 집중은 전에 켄이, 켄 켈먼*이 자기 알약에, 그러니까 그가 작은 상자 가득 가지고 다니는 크기나 색깔이나 모양도 제각각인 그 모든 비타민에, 집중하는 모습을 내가 집중해서 바라보던 것과 같은 집중인데—그렇지만 나는 알약이나 건강에는 아무 관심도 없고, 건강은 유행이라고 생각한다.

하지만 이 타자기 리본은 너무 짧아서, 절망적일 정도로 짧아서 5분마다 멈추고 되감기를 반복해야 하고—지금은 하워드 스턴이 TV에 나와 떠들어대고 있는데, 그의 목소리가 내 정신을 사납게 만든다. 자, 생각해보라, 이 모든 것이 훌륭한 현대 소설의 본질과 무슨 관련이 있을까? 지금까지는 내가 꽤 잘하고 있는 것 같은데, 그렇지 않나? 특히, 이 모든 끊김을 감안하면. 대학원 논문으로 많이들 쓸 법한, 꽤 심오한 내용 아닌지. 행운을 빌어요, 젊은 친구들.

켄이, 내 말은 켄 제이컵스가, 자신의 영화에서 모든 가능한 종류의 끊김을 얼마나 좋아하는지 알지만, 내 컴퓨터 용지 롤이 찢어지는 건 너무 싫고, 이게 마지막이었으면 좋겠다. 끊김, 찢김. 나는 스스로에게 반복해서 말한다. 끊김/찢김의 우주적, 필수적, 본질적 의미는 무엇인가? 그건 일종의 엔터테인먼트적인 전략, 장치 아닌가? 짧은 인내심. 너무 긴장해서 10분마다 끊어줘야 하는 사람들을 위해서. 훌륭하다! 훌륭해! 끊어서 가자고. 아니면 끊어내거나. 아주 끝장을 내버려! 파괴의 이론들. 파괴 예술. 찢어진 마음들.

당신에게 약속하건대, 이 페이지들을 스카치테이프로 붙이는

54

한이 있더라도 소설을 완성하고 말겠다. 다른 사람이었으면 그냥 관뒀을 거다. 정상적인 사람이라면 그럴 테지. 그러나 보다시피 나는 정상과는 거리가 멀다. 나는 이것을 도전으로 받아들인다. 그래, 후지산을 등반한다거나 뭐 그런 것처럼. 내가 후지산이라고 말한 이유는 요 전날 누군가—누가? 부끄럽지만 잊어버렸다—내게 보낸 레이니어산 엽서를 보고 있는데—여기 내 책상 위에서 그것은 꼭 후지산처럼 보인다—그렇기에 그것은 후지산 등반 같은 것이고, 맨 꼭대기까지, 그래, 내가 해낼 수 있기를 바란다.

|

미안, 리본을 왼쪽으로 바꿔야 했다. 정치적인 왼쪽 말고, 그냥 단순한 왼쪽으로, 여기엔 마르크스도 엥겔스도 없고, 특히 "우크라이나 농부들을 동정하지 말라"거나 "리투아니아인들을 잡아라"라고 말한 레닌은 더더욱 없는데, 염두에 둬야 할 건, 내가 저 말을 인용하는 이유는 그것이 내 기억 속에 새겨져 있기 때문이고, 그만큼 내가 레닌을, 레닌 동지를 사랑하기 때문이라는 거다. 그러니—정치적인 왼쪽은 잊어라, 설령 켄이—아마도?—그쪽이라고 해도. 문득 나는 생각했다, 내가 아는 켄이 얼마나 되지? 둘은 벌써 언급했고, 절대 헷갈리면 안 되는데, 켄 제이컵스와 켄 켈먼, 둘은 너무 너무 너무 다르다. 그래, 켄 켈먼이 자기 알약에 접근하고 연구하는 방식은 일종의 선禪이고, 내 생각에, 후지산 꼭대기에 오르는 것이며—상상컨대—그런 종류의 집중, 아니면 명상이라고 나는 생각하는데, 맞다, 그게 자기 알약을 바라보는 켈먼이다. 그러게, 내가 아는 켄이 얼마나 되려나? 케네스(켄이 아니라!) 앵거. 케네스 프램프턴. 또 누가 있더라, 켄 루빈, 바버라의

56

동생, 그녀는 그를 케니라고 부른다. 또 그래, 케네스, 근데 성이 뭐더라, 그는 에즈라 파운드에 대한 책을 썼다. 그리고 케네스 패천, 저기 책장에 그가 쓴 소설이 있다.

하지만 벌써 자정이 지났고 이쯤에서 소설을 잠시 멈춰야 한다. 내가 자는 동안, 원한다면 '멈춤'의 본질과 의미에 대해 묵상해도 좋다. 사실, '진짜' 소설에는, 멈춤이 없다. 그러나— 이것이 놀라운 점인데—현명한 사람들에게는—이것이, 정말로, **진짜** 소설이다. 당신도 이해하겠지만, 내가 '멈춤'이나 '진짜'나 기타 등등을 말할 때 모든 것이 계획의 일부라는 것을—모든 것이 계산되었음을, 모두 계산된, 철저하게 계산된 글쓰기이고, 계산된 즉흥 연주이며, 이렇게 말할 수 있다면, 내 평생에 걸쳐 계산된 것이다. 따라서, 실제로는, 만약 정말로 진실을 알고 싶다면, 여기엔 어떤 즉흥 연주도 없다, 글자 하나하나에서 아주 작은 실수까지 모두 미리 결정되어 있으며, 모든 것이 있어야 할 그 자리에 있다. 이 우주 전체에는 전적으로 어떤 우연도 없으며, 이 말은 꼭 해둬야겠는데, 친애하는 독자여, 이 작은 쉼표 하나는 물론이고, 인생의 진정한 기적은, 혹은 문학은, 둘은 전적으로 똑같은 것으로, 모두 내가 테이블 밑에서 찾은 먼지 덮인 이 컴퓨터 용지에, 모든 것이 바로 이 종이 속에 있고, 나는 단지 타이핑을 하는 사람이며, 그 이상은 아닌데, 왜냐하면, 앞서 말했던 것처럼, 나는 결코 생각하지 않고, 그냥 어떤 것들을 하고, 어떤 것들을 타이핑하며, 어떤 것들을 말하고, 그게 무엇이든, 반응한다. 내가 하는 말은, 뭐라고 말하건 간에, 모두 단지 반응, 주짓수의 받아치기일 뿐이다—내게는 나만의 생각이나 아이디어가 없고, 쉼표들에 대해서라면 미안하게 됐지만, 이런 경우엔, 마침표보단 쉼표가 차라리 낫다고 생각한다—나는 마침표를 의도했으나,

58

*   뉴욕의 명문 공립 고등학교.

내 손가락은 쉼표를 선호하고, 여기에는 또 다른 깊은 의미가
있는데, 손가락과 마음의 차이, 손가락이 생각하는 것과 두뇌가
생각하는 것의 차이, 둘은 똑같은 재료로 만들어졌고, 모두
생각을 한다, 스타이브샌트 고등학교*의 교과서에서는 그렇게
가르치지 않겠지만 말이다. 이쯤에서 당신에게 중대한 비밀을
폭로하겠다, 손가락과 두뇌의 생각하는 능력은 동등하다!

　내가 농담하는 것처럼 보이나? 아니, 전혀 아니다. 지금 나는
진짜 졸립다. 침대로 가야 한다. 와인 잔만 비우고 자러 갈
거다. 소설에 끼어들어서 미안하다. 와인에 대해서는 더더욱
미안하다. 화이트 와인이다. 요즘 미국 사람들은 와인하면
죄다 **레드** 와인만 떠올리니까, 그게 건강에 좋다는 이유로!
하지만 아, 상상할 수 있는지, 사람들이 **화이트** 와인의 효능을
발견하기라도 하면, 대체 뭐라고 써댈까?

　그래, 하지만 진지한 건 아니다. 농담이었다. 요즘 세상에서
진지함이 가장 인기 있는 것은 아니라고 하더라도 나는
진지해지고 싶다. 진지함. 소설의 주제로 진지함은, 어떤가?
정말이지, 진지함이, 대체 뭐란 말인가? 솔직히 말하면, 나는
거기에 대해서 진지하게 생각해본 적이 단 한 번도 없다⋯⋯
진지하게⋯⋯ 진지하게⋯⋯ 근본적인 무엇으로서의 진지함?
본질에 가닿으려면, 진지해져야 하나? 본질, 가장 깊은 것, 가장
근본적인 것에 대한 욕망—가장 깊은 자아? 아니면 그냥 자아?
신? 우주? 모든 선조들? 모든 선조들과의 유대감? 맞다, 그게 이
소설에서 내가 다루려는 것이다. 하지만 진지해지지 않고서는
할 수 없는 일이다. 그렇다. 진지하지 않다면 이 세상에서—
마찬가지로, 이 종이 위에서도—어떤 실질적인 일도 해낼 수
없다고 나는 생각한다. 가짜 빵처럼, 혹은 다른 가짜들처럼.
그건 전부 가짜다. 가짜 빵은 진지하지 않다. 가짜가 된다는 건
진지하지 않다는 거다. 대용품은 진지함이 아니다. 진지함이

60

타락한 게 대용품이다. 이 종이는, 지금까지는, 그냥 종이이고, 말인즉슨, 진지하다는 거다.

아, 발이 차갑다. 방금 양말을 벗어서, 지금 나는 맨발로 있다. 잠깐 한번 생각해보라, 요즘 말로 '맨발로'는 무엇을 의미하는가? 이를테면, '맨'이라는 말. 그러나 미리 경고하건대, 이것은 해체, 데리다, 기타 등등과 아무 상관도 없다. 이건 있는 그대로의, 거리낄 것 없는 대화다. 다음에 리처드를 만나면, 데리다에 대해 이야기할 것이다. 나, 나는 그냥 소박한 사람이다. 바보. 오늘, 바보가 되니 좋다. 바보 되기—나는 진짜로 완벽한 바보가 되고 싶다—바보가 되는 건 더없는 기쁨이며, "무엇에도 어떤 것에도 의지하지 않는 마음을 기르자," 1955년, 나는 그렇게 쓴 표어를, 작업 테이블 바로 앞에 있는 벽에, 스카치테이프로 붙였다. 그건 여전히 나를 이끄는 등불이고, 나는 여전히 그것을 향해서 나아가고 있다. 이 소설은 모두, 당연히, 아무것에도 의지하지 않는 마음을 기르는 이 과정, 그것의 일부다. 바보 같은 우리 문명의 바깥에 있기. 조지는 가까스로 그렇게 했는데, 내 말은, 바깥에 있다는 것, 그런데 또 누가 있지? 친애하는 독자들이여, 쉽지 않다, 쉽지 않아.

그러나 아, 이건 끔찍하다, 정말로 끔찍하다.

아, 얼마나 불완전한지, 한 롤의 컴퓨터 용지라는 것은 끔찍이도 불완전하다…… 또 찢어졌다…… 끔찍하다, 끔찍해. 나는 생각을 잃어버렸다, 무슨 생각이 남아 있었는지는 모르겠지만. 이제 그건 전부 사라졌다.

인정해야 한다, 나는 이상주의자다. 적어도 전에는 그랬다. 나는 내가 이 컴퓨터 용지 한 롤을 통해 구식 수동 타자기, 정확히 말하면, 나의 올림피아 딜럭스와 현대의, 동시대의 컴퓨터 기술 사이에 다리를 놓겠다고 생각했다. 하지만 끔찍하게 실패하고 있다는 사실을 인정해야겠다. 둘이

62

만나기나 할까? 아니, 가망 없다. 조금의 희망도 보이지 않는다.

64

그러니 이것은, 어떤 면에서는, 참회의 기도, 혹은, 오케이,
옛 시절의 타자기를 위한 레퀴엠, 진짜 종이 한 장이 끼워진

66

타자기, 자판을 누르는 손가락을 느끼고 종이를 느끼는, 그리고 롤러, 한 줄 한 줄, 돌리면 올라가는—아, 얼마나 짜릿한가!

68

지금쯤 내가 컴퓨터 용지를 완전히 포기했다는 사실을
눈치챘으리라. 안타까운 노릇이다. 계속해서 찢어지고
있었기에, 달리 선택의 여지가 없었다. 종이 질도 끔찍했다.
얇고, 창백하고, 병든 종이. 어떤 종류의 실체도 없다. 진짜

70

종이랑은 다르다. 종이 제조 공정에 무슨 일이 생겼는지
궁금하다. 괜찮은 종이는 더 이상 없다. 전부 복사 용지뿐이다.
복사 용지 위에 어떻게 소설을 쓴단 말인가? 내가 볼 때 이
소설을 컴퓨터 용지 위에 쓰기 시작한 건 나의 세속적인
패착이다. 그러지 말았어야 했는데. 컴퓨터의 본질은

72

소설적이지 않다. 그건 뭔가 다른 것이다. 그게 뭔지는 내게 미스터리다. 나로 말하자면, 글을 쓰며 진정으로 원하는 건 **진짜** 대문자를 보는 것, **진짜** 종이를 보는 것이다. 그게 지금 내가 타이핑을 하는 이유다. 먼지 쌓인 낙서 더미 위에서 내가 찾아낸 진짜 종이 위에. 그건 백지였고, 어느 정도 여전히 백지다. 자, 끔찍한 생각. 이게 오늘 내가 가진 유일한 종잇장이기에, 나는

74

말을 아껴야 하며, 내 소설이 앞으로 나아갈 수 있도록 그리고 여러분이, 백 년 전, 정확히는 좀 더 오래전에, 도스토옙스키의 글이 실린 『상트페테르부르크 가제트』 최신호가 나오기만을 기다리던 상트페테르부르크의 독자들처럼, 발을 동동 구르며 기다리게 만들 뭔가 진짜 멋진 말을 해야만 하는데……. 그래, 부디 기다려주시기를, 이제 당신에게 나를 처절한 험로로 내몬 내 인생의 가장 큰 비밀에 대해 말할 작정인데—다음 장으로

76

넘기기만 하면—내일—종이를 더 구해서—

|

|

오늘은 또 다른 날이다.

　스테이플스에 가서 멋진 일반 흰색 종이 한 묶음을 샀다. 종이가 떨어지지 않도록 확실히 해두기 위해서. 그리하여 지금—**영광 영광 할렐루야!** 나는 진짜 종이 위에 타이핑을 하고 있다. 그냥 종이. 이제 내 모든 걱정들은 씻은 듯 사라졌다.

78

걱정? 내가?

　나는 지금 앨런을 더 걱정하는 중인데, 방금 그와 통화를
마쳤고, 그는 간암에 걸렸으며, 조용한, 힘없는, 하지만 내가
듣기엔, 즐거운 목소리로 말하길, 살날이 석 달밖에 남지
않았다고, 우리는 그것에 대해 이야기를 나누었고, 웃기도
했는데, 그래, 그건 놀라운 일, 무척 놀라운 일이라는 걸,
생각해보라, 그는 석 달 안에 죽을 예정이지만, 우리는 농담을
하고, 웃으며 거기에는 전혀 신경 쓰지 않았다. 내 말이 조금
이상하게 들리지 않는지? 분명 그럴 거다. 하지만 앨런은 정말

80

괜찮았다. 내가 조금 혼란스러웠다는 건 인정한다. 여기 그가 있다, 거의 죽은 채로, 아직은 아니더라도, 하지만 천천히 죽어가면서, 그리고 여기 내가 있다. 최소한 아주 잠시 동안 나는 당황해서 어쩔 줄 몰랐다. 내가 그를 위로했어야 할까? 암에 걸리다니 너무 슬프다면서? 운운. 운 좋게, 나는 모든 것을 잊어버렸고 오래된 보통의 나 자신으로 다시 돌아와 우리는 그냥 일반적인 대화를 나눴다. 행복한 대화를.

아, 이게 대체 무슨 일인지 전혀 모르겠다. 죽음에 대한 건 분명

82

아니다. 나는 앨런에게 말하고 있었고, 우리 둘 다 괜찮았지만, 그러나 어딘지, 그럼에도 불구하고, 어떤 느낌이, 내 마음속 한구석에, 그래, 어쩌면 이게 우리의 마지막 대화일지도 모른다는 느낌이 있었다.

나는 수화기를 내려놓고 지나가던 홀리스에게 말했다, 앨런이랑 통화했는데 그가 죽어가고 있대.

줄리어스가 다음 주 화요일에 떠난다. 금요일—소피가 준비한 환송회. 내 와인 잔이 비었다. 내 앞에 있는 테이블에 놓인 레이니어산 엽서는 말도 안 되게 아름답다. 이제 모든 사실의 작은 조각들을 한데 모아, 콜라주를 만들자.

아니, 아니, 아니. 나는 꼭, 반드시 이 소설을 훨씬 더 사적인

84

것으로 만들어야만 한다. 아나이스 닌의 일기처럼 사적인
건 아니지만, 그것에 한없이 가까운 무언가로. 그래, 그녀는
나를 공산주의자라고 불렀다. 그녀가 공산주의자를 뭐라고
생각하는지 진심으로 궁금하다……. 그런데도 그녀는 나를
공산주의자라고 말하는, 혹은 힐난하는 편지를 썼고, 이제
그것도 옛일이고, 기억도 가물가물하지만—그래도 확인할
순 있는데, 나는 여전히 그녀의 편지를 가지고 있다—나는
아무것도 버리지 않으니 어딘가에 처박아 두었을 게 뻔하고,
그건 나의 또 다른 악습, 아니면 차라리 내가 다른 누군가를
갈망할 생각조차 못하게 만드는 습관으로, 만약 내 아파트를
보고 지금 내 모든 문제들을 안다면 당신도 이유를 알게 될
텐데, 우리가 아파트를 팔기로 결정했기 때문에, 짐을 싸기

86

*   리투아니아 출신의 번역가, 편집자, 시인 비트 바카이티스.

위해, 어떤 크기의 박스를 얼마나 주문할지 결정해야 하는 문제가 있지만, 이제 소호는 부티크와 옷 가게로 가득 차서, 종이상자를 구할 만한 곳은 싹 다 사라지고, 사라졌으며, 사라져버리고 말았고—

|

자, 자. 친구들이여, 이건 진짜 재앙이다. 내 말은, 리처드, 린, 캐시, 내 모든 글 쓰는 친구들, 비트*, 그래, 비트, 비트가 없었다면 내가 어디에 있었겠는가. 내가 지금 말하는 재앙은 이런 거다. 나는 방금, 우연히, 내 소설의 모든 페이지를 뒤섞어버렸다. 아무 생각 없이. 단지 내 존재 자체의 순수한 혼돈에 의해서. 이제 당신에게 아마도 나의 가장 큰 약점인 것을 밝혀야겠다. 스스로를 정리하지 못하는, 다시 말해, 나의 어마어마한 혼돈을 어떻게 정리해야 할지 모르는 무능력.

88

말하자면, 정리 기술의 전적인 부재. 내 모든 종이들, 내 모든 페이지들이 주위를 떠돌고 있다. 어디선가 읽기로는, 토머스 울프도 책상 아래로 원고를 떨어트리긴 했지만, 최소한 종이 뭉치를 통째로 떨어트렸기에, 순서가 흐트러지지 않고 그대로 있었다고 한다. 하지만 내 경우엔, 낱장들이 테이블 주위에 어지러이 널려 있고, 내가 무언가를 잃어버릴 때면, 그런 일은 하루에 열 번쯤 일어나는데, 나는 한 뭉텅이의 종이를 들어 다른 종이 뭉텅이 위에 올려놓고 그런 다음 또 다른 종이 뭉텅이를 들어 올리며 잃어버린 편지 같은 것을 필사적으로 찾는 것이다. 무슨 말인지 알겠지.

|

끔찍하고, 끔찍하다. 잃어버린 물건을 찾느라 날려버린 그 모든 시간들. 그것은 이야기, 잃어버린 물건을 찾아 나서는, 내 인생의 또 다른 이야기다. 하지만 타이핑의 황홀경에 빠진

90

상태로, 이 모든 것을, 타이핑하고 있는 지금, 막 천재적인
생각이 떠올랐는데, 그건 바로, 내가 어떤 것도 절대로 결코
단 한 번도 잃어버린 적이 없을 가능성이다. 진실은 내가 단지
모든 것을 잘못 둔다는 것, 조금 다른 곳에 둔다는 것이다.
하지만 그래, 그래, 나는 모든 것을 다시 찾을 것이다, 모든 것을
다시 찾아내거나 아니면 모든 것을 그냥 발견하거나, 우연히
마주칠 것이다, 언젠가는…… 내 모든 과거…… 아니, 아니,
아니, 잃어버린 것은 아무것도 없고, 내 생각엔 그거야말로 이
소설의 중심 아이디어라 할 텐데, 만약 그런 게 필요하다면
말이다. 내가 모든 페이지들을 뒤섞어버렸다는 사실은
본질적으로 아무것도 바꾸지 않는다. 모든 것은, 모든 삶은
엉망진창의 커다란 콜라주일 뿐이고 우리는 언제든지 시작할
수 있으며 그것은 여전히 똑같은, 전적으로 똑같은 그림을
보여주리라, 친구들이여. 내가, 이렇게 말한다고 해서, 의지의
역할을 부정하는 걸까? 우리의 신성한 본성을? 나로선 알 수

92

없는 그런 문제들에 대해 부디 내게 묻지 말기를. 내가 아는 건 타이핑이 전부다. 나는 손가락으로 생각하는데, 다시 말해, 내가 생각이라는 걸 한다면 말이다.

어쩌면 나는 여기서 멈춰야만 하는지도 모른다. 갑자기 뭔가 엄청나게 끔찍한 걸 깨달았는데, 나는 이 페이지를 새로운 **문단**으로 시작했다. 상상이 되나? 문단 단위로 생각하고 쓰기 시작한다니? 끔찍하다, 끔찍해. 아무튼, 내 마음을 스쳐간 생각은, 차라리 생각이었던 것은, 왜냐면 지금 나는 시간보다 몇 분 앞서거나 뒤에 있기에, 내 소설에 섹스가 없다는, 전혀 없다는 생각/이었던 것/이고, 그렇다면, 누가 그런 소설을 읽겠는가! 요즘 사람들은 섹스의 기미가 풍기지 않는 건 아무것도 읽지 않는다. 그러나 말해보라, 친애하는 친구여, 내가 어떻게 여기에 섹스를 집어넣을지, 그럴 수는 없는데, 왜냐면 그건 전혀 다른 세계이기 때문이고, 또한, 말하건대, 차라리 고백하건대, 나는 그것에 대해 전적으로 아무것도 모른다. 내가 섹스에 대해 뭐라도 알았던 적이 있나? 아니. 그리고

94

영영 모를 테지. 완전한 미스터리. 인간적인 모든 것들처럼, 믿거나 말거나, 모든 삶, 인간적인 모든 것들은 내게 미스터리나 다름없다. 나는 그것에 대해 아무것도 모른다. 이해하지 못하고, 어떻게 대해야 할지 모르며, 어떻게 하루에서 다른 날로 나아갈 수 있는지, 내가 하는 게 뭔지, 혹은 내가 하는 것을 하는 이유는 뭔지, 그리고 왜 삶은 여전히 이어지는지, 왜 멈추지 않는지, 마치, 말하자면, 에밀리아처럼, 그 애는 고작 열다섯이었고, 우리는 초등학교 동창이었는데, 어느 날 집으로 걸어오는 길에, 나는 그 애가 마차에 앉아 있는 것을 보았고, 보리 아니면 뭔가로 가득한 자루 위에 앉은 그 애는 극히 평범해 보였으며 나이 들어 보였고, 마치 서른 살처럼 보였다. 전에, 이웃에게 들기로, 그 애는 한 남자, 어느 농부와 강제로 결혼해야 한다고 했다. 그래서 여기에 왔던 건데, 그 애는 열여섯, 어쩌면 그때쯤엔 열일곱이었고, 우리는 서로를 바라보았지만 둘 사이에는 거대한 세계가 있었다. 나는 여전히 어린아이였고, 그리고 저기 있는 그 애는, 결혼한 여자, **진정한 삶**, 그 진정한 삶에 속했으니까. 이게 뭐지, 대체 뭐지, 왜 나는 진정한 삶의

96

*   리투아니아 출신의 사진작가 아루나스 쿨리카우스카스.

일부가 아닌 거지, 어떻게 하면 진정한 삶의 일부가 될 수 있지,
어떻게? 물론, 정답은 없고, 정답은 없으며, 그저 할 수 있는 한
빠르고 원하는 만큼 길게 타이핑할 수 있을 뿐이다, 마치 헨리
밀러처럼, 그에게 축복이 있기를, 어제 우리는 아루나스*와
함께 윌리엄스버그에 들러 모든 거리를, 2번가, 3번가, 5번가,
그 모든 거리를 걸으며, 나는 아루나스에게 말했다, 헨리
밀러가 여기 살았던 걸 아느냐고. 그리고 우리는 계속해서
걸었으며, 긴쿠의 사탕 가게를 찾았으나, 긴쿠의 사탕 가게는
거기 없었고, 여행사 같은 게 있길래, 나는 맥주나 마시자고,
몹시 실망한 채로, 긴쿠의 사탕 가게에서 마셨던 모든 맥주를
떠올리며 말했다—그래서 우리는 어느 멕시코 식당에 가서,
도스에커스를 마셨는데, 벽에는 챙이 넓은 멕시코 모자가 가득
걸려 있었고, 손에 맥주병을 쥔 채로 잠든 구석의 사내에게,
바텐더가 다가가 병이 떨어지지 않도록 조심스럽게 치웠으며,
우리는 계산을 마치고 브루클린 윌리엄스버그의 거리로 걸어
나왔다—
    그래서 섹스는 대체 어디에 있지. 아니 아니 아니, 하나도
없고, 단지 꾸밈없는, 현실적인 삶과 비참함이 여기—그런데

나는 지금 와인이 한 잔 더 필요하다. 아니, 나는 에밀리아 이야기를 하면서 소설에 섹스를 전혀 집어넣지 않았고, 나는 내 주위를, 내 올림피아 딜럭스와 이 테이블, 그리고 내 머리를 맴도는 거대한 슬픔을 느낄 뿐인데, 여름날의 땀, 거대한 슬픔, 열다섯의 나이에, 보리인지 뭔지를 담은 자루 위에 앉은, 에밀리아의 실현되지 않은 삶에 대한 생각, 이 이미지가 얼마나 자주 내게, 내 기억에, 그 모든 세월 동안, 떠오르는지 당신은 알지 못하리라. 실현되지 않은 삶의 이미지, 열다섯 살에 얼어붙은—나는 흔들리고, 그날을 생각하면서, 어느 뜨거운 여름날의 길바닥, 먼지 가득하고, 무더웠던 그 만남을 회상하면서 거의 눈물을 흘릴 지경인데—그래서 나는 어디에 있는가? 아니, 나는 내가 어디 있는지 결코 알지 못한다. 알았던 적도 없다. 아무 계획도 없고, 어디에 있는지 모르고 신경도 쓰지 않으며, 무엇을 해야 할지 모르고, 삶이 스스로의 길을 가도록 내버려두는 것, 그건 축복일까 저주일까? 약점? 내가 약한가? 의지력이 없나? 나는 오래전에 의지력을 떨쳐냈는데, 몇 해 전 브루클린의 린든가에서 창밖으로 그것을 던져버렸다.

　이제, 10분이 흘렀다. 왜냐하면 우나가, 내가 바로 윗줄을 타이핑하고 있는데, 「뉴욕 타임스」를 훑어보던 우나가, 자,

100

*   미국의 영화 편집자이자 제작자.
** 미국의 시인이자 영화 제작자.

그나저나 오늘은 1997년 8월 4일인데—이렇게 말했다:
음, 윌리엄 버로스가 죽었네. 그 말이 나를 멈추도록, 내
손가락들이 바로 그 자리에 멈추도록 했다. 뭐라고?—내가
말했다. 라디오에서 들었어요, 그녀가 말했다. 그런데 여기
「뉴욕 타임스」에도 실렸네요. 나는 테이블로 가서 신문을
보았고, 부고가 있었다. 그렇게, 그도 떠났다. 나는 여전히 처음
『네이키드 런치』 첫 화가 실린 「빅 테이블」을 보았던 순간의
흥분을 기억하며 앉은 자리에서 그것을 단숨에 읽어 내려간
다음 루이스 브리간테*와 스톰 드 허시**에게 전화를 걸어
중대한 소식을 전하던 것을 기억한다. 여기 작가가 있어, 새로운
위대한 작가야, 나는 말했고, 우리는 밤새도록 앉아 잔뜩 흥분한
채로 읽고 또 읽었다.

  그리고 이건 또 아무 관계도 없다. 감상적인 기억에, 기억의
함정에 빠지지 말아야 한다. 그러니, 사라지기를, 60년대의
모든 헛소리와, 첫 미팅들과, 처음 이것과 처음 저것 모두. 왜
조지가 처음을 가리는 데 그렇게 집착하는지 도무지 이해할
수 없다—말레비치는 이 처음을 했고, 뒤샹은 저 처음을 했고,
슈비터스는 이것을 했고, 혹은 조지 브레히트는, 혹은 오노
요코는 혹은 라 몬테는, 기타 등등 기타 등등—그는 늘 오직
처음을, 누가 무엇을 처음 했는지 신경 썼고, 거기에 빠삭했다.

102

그리고 우리 멍청이들, 우리는 작은 마을에서, 알지도 못하고, 심지어 누군가 처음으로 부른 사람이 있었으리라는 생각조차 못한 채로, 리투아니아의 모든 민요를 불렀다. 우리는 노래를 부를 게 아니라, 그냥 입을 다물고, 멍청하고 시끄러운 입을 다물고 자러 가거나 그랬어야 했다. 아니, 그 노래를 처음 부른 건 우리가 아니었고, 처음 비슷한 것도 아니었는데, 우리는, 보다시피, 예술에 대해서는 신경조차 쓰지 않았으나, 오직 예술에는 단 한 번뿐인 것이 있고 그것을 반복하는 건 죄악이기 때문이다. 바로 그것이 삶과 예술이 갈리는 지점이라고, 나는 짐작한다. 하지만 누가 신경이나 쓸까. 모든 것이 계속되도록, 저절로 흘러가도록, 사람들이 논쟁하고, 싸우고, 나로서는 결코 읽을 수 없는, 길고 진지한 에세이를 대학 계간지에 쓰도록 내버려두라. 하지만 누군가 시간을 들여 그런 글을 쓰는 건 좋은 일인 것 같고, 그건 다만 어떤 사람들은, 나 같은 사람 말고, 여전히 삶과 문학을 진지하게 여긴다는 사실을 증명한다. 나는 어떤 것도 너무 진지하게 생각하지 않는다. 오늘날에도 무언가 진지하게 여겨야 할 게 있다는 사실을 스스로에게 납득시킬 수가 없다.

집중력이 떨어지는 것 같다. 아주아주 늦은 시간이다. 그러니 이쯤에서 끝내자. 무너져 내릴 때까지 쓰고 또 쓰는 건, 또는 이렇게 말할 수도 있는데, 타이핑하고 또 타이핑하는 건 매우

104

*   미국의 영화 사학자.

솔깃한 일이지만, 시간이 흘러, 썼던 걸 읽으면, 마음이 얼마나
서서히 무너지는지, 산산조각 나는지, 헛소리가 어떻게 우리를
잠식하는지 알 수 있다, 마치 술 취한 사람을 볼 때처럼. 오늘
밤 내가 그런 실험을 하고 싶은지는 나도 잘 모르겠는데,
그럴수록 효과는 떨어진다. 한번은, 아마 1955년이었던 것
같은데, 아무도 나를 사랑하지 않는다고 느껴지던, 술에 취해
자포자기한 저녁에 나는 계속해서 메모를 했다. 나는 취하기로
마음먹었는데, 아무도 나를 사랑하지 않았기 때문에, 그래서
8번로의 우중충한 술집으로 가서, 인생이 나락으로 떨어지는
동안 쉬지 않고 술을 들이켜대며, 5분마다 내가 느끼는 것들을
끊임없어 적어 내려갔다. 당신이 그날 밤의 작고 사소한 다른
세부들에 흥미를 느낄지 모르겠다. 어쨌든 후에, 나는 읽었고,
차라리 술에 취해 끄적인 낙서들을 읽으려 노력했다고 해야
할 텐데, 그건 무의미, 그냥 공허하고 멍청하고 해독할 수 없는
허무였다. 잠에서 반쯤 깬 상태로, 기록하려 애쓰는 꿈처럼.
맙소사, 끝내주네. 하지만 아침에 읽으면, 그건 아무것도
아니다, 순수한 무.

  불현듯 떠오른 생각. 왜 나는 이 모든 헛소리를 쓰고 있는
거지? 내 생각엔, 린 틸먼도 하고 캐시 애커도 하고 심지어
리처드 포먼도 하기 때문인 것 같다. 그래 맞아, 켄 켈먼도
하고, 믿거나 말거나, 심지어 P. 애덤스 시트니*도 소설을 한 번
썼고, 나도 읽었는데, 바라건대 그가 그것을 불태우거나 하지

106

앉았기를. 그만큼 흥미로운 소설이었고, 그는 그것을 열일곱 살에, 대충 그 무렵에 썼다. 그러니 나라고 못 할 게 뭐람, 훨씬 나이도 많고 똑똑하고 인생에 대해서도 더 잘 아는데. 내가 무엇을 쓰건, 아를 출신의, 122세의, 열두 살인가 열세 살 무렵에 반 고흐를 만났다는, 잔 칼망 여사를 제외한다면, 다른 누가 쓴 것보다 더 많은 인간의 영원한 지혜와 지식이 들어 있을 텐데, 그런 그녀가 오늘 세상을 떠났고, 나는 그것을 「뉴욕 타임스」에서 읽었고, 부고 기사에 따르면 그녀는 "매주 초콜릿을 1킬로그램 가까이 먹었고 올리브 오일로 피부를 관리했고 100세 때까지 자전거를 탔으며 5년 전에야 담배를 끊었다"고 한다. 그녀는 술도 좋아했다. 아무튼, 나는 내가 많은 지식을 가지고 있다고 생각한다, 그게 지혜가 아니라면 말이다. 유일한 문제는, 좋은 지식과 지혜가 다 뭐냐는 거다. 에식스가에서 말하는 것처럼, 그걸로 카샤*를 만들 수도 없는데.

저기, 밖에 비가 정말 심하게 쏟아진다. 저녁 내내 비가 내렸다. 그래서 이 페이지는 우울한 B플랫 단조인지 뭔지 하는 조성으로 되어 있다. 내 마음은 온통 흐릿하고 뭐랄까, 단어가 생각나지 않는데, 비가 내릴 때면 늘 그렇다.

|

이 여자, 지난 토요일, 금요일 밤, 마스 바에서, 그녀는 거기에 있었고, 내가 말을 걸었는데, 왜 그랬는지는 모르겠지만, 아마도 조금 지루했던 탓에, 나는 말했다, 당신은 무슨 일을 하나요?

108

왜냐하면 그녀는 음악가들과 함께 있었으니까. 나는 그녀가
어떤 종류의 음악가라고 생각했고, 물론 나는 어떤 악기를
연주하세요?라고 물었어야 했다. 하지만 나는 실수를 저질렀고,
작은 실수였지만, 실수는 실수였다. 그러자 그녀가, 퉁명스럽게,
말하길, "글을 써요." 우리는 각자의 맥주로 돌아왔다. 그러나 한
시간 후에, 그녀가 나를 공격했다. 아, 그녀가 "글을 써요"라고
말했을 때 내가 어떻게 반응했는지 말한다는 걸 깜박했다.
알다시피, 사람들이 나한테 자기가 예술가라고 말할 때면 나는
인상을 구기게 된다. 나는 얼굴을 찡그렸고, 그리고 말했다,
흐으으으으음. 나는 흐으으으으음 소리를 냈다. 그래서 한
시간이 지난 후 그녀는 내게 내 반응이 "지지하는 게 아니"었고,
내가 좀 더 지지해야만 한다고 말했다. 그래서 나는 내 인생의
과업 중 하나를 말했는데, 그건 바로, 글을 쓰거나 '창조적이
되거나' 그런 비슷한 일을 하는 사람들의 용기를 꺾는 일이다.
글을 쓰는 데 정말 격려가 필요한가? 만약 그렇다면, 부디 제발
쓰지 마시라. 하여튼, 나는 그녀가 글쓰기를 그만두길 바랐다.
물론, 그녀가 나와 같지 않다면 말이다. 나와 같다면, 그녀는
계속할 것이다. 지금, 나처럼. 타자기에 꽂힌 빈 종이를 보고
있노라면, 손가락이 근질근질해지며, 타이핑을 해야 하기에,
나는 자리에 앉아 타이핑을 하고, 타이핑을 하고, 아무것도
생각하지 않고, 당연히, 아무 목표도 없이, 내 글쓰기가,
내 타이핑이, 가능하다면, 허무에 가까울 만큼 공허하기를
바라면서, 나는 그냥 타이핑을 한다. 그리고 전적으로
비-창의적이기를. 나는 창의성을 혐오한다. 창의성은, 인생이나

110

예술에서, 아마도 내가 첫 번째로 싫어하는 것이다. 영화, 특히
영화에서. 그리고 음식, 그래, 음식에서도. 그 모든 창의적인
요리들, 특히 뉴에이지 사람들이 만든 음식들, 나는 그것들을
보기만 해도 토할 것 같다. 그래서 나는 밖으로 나가 단순한,
옛날식의 햄버거를 먹고, 핫도그를 먹는다. 창의적인 것을
하는 사람들을 뭔가 혼내줄 방법이 있어야만 하는데, 그들은
정상적인 인간 발달의 적, 자연 발달의 적이다. 자 자 자, 오스카
와일드가 이런 말을 들으면 뭐라고 할까, 나는 문득 생각했다.
그래서 어쩌라고, 친애하는 오스카여, 원하는 대로 생각하시길,
당신 생각에는 쥐뿔도 관심 없으니까.

　방금 올림피아 딜럭스에 또 다른 종이를 끼웠다. 라디오에서
라가 음악이 나오는데, 아주 좋다, 딱 좋아. 하지만 나는
산만해지고 만다. 귀, 귀. 바로, 내 오른쪽 귀. 라디오는 오른쪽에
있다. 이제 나는 진짜 산만해졌다. 막 화이트 와인을 한 모금
마셨는데, 어떤 와이너리인지, 브랜드가 뭔지는 잊어버렸고,
다시 말해, 내 글쓰기를 다시 채워주기를 바라면서, 마시는
와인. 하지만 아니다. 글은 멈췄고, 갑자기, 꿈쩍도 하지 않았다.
내 소설, 친애하는 친구들이여, 독자들이여, 내 소설은 딱
멈춰버렸고, 위기가, 마치 월가의 위기처럼, 폭삭 망해버렸다,
뉴욕에서, 싱가포르에서, 도쿄에서. 여기서 와인은 아무 도움도
안 된다. 김이 푹푹 빠져버린 저녁이다. 나는 이유를 안다,
온종일 비가 와서다. 비가 내릴 때면, 습도 100퍼센트, 머리는
온통 멍해지고, 모든 것이 멈추며, 나는 심지어 우울해지기까지
하는데, 그때가 바로 내가 유일하게 우울해지는 순간이다……
다시 말해, 평소 나는 대부분의 사람들이 그러는 것처럼

112

우울해하지는 않는다. 그 말은, 내게 뭔가 크게 잘못된 구석이 있다는 뜻이다. 어쩌면 그건 일종의 쓸모없는, 비현실적인, 뭐라고 불러야 할지 모르겠는데, 낙관주의, 삶에 대한 신뢰 같은 것이다. 모두들 알다시피, 그건 아무 도움도 안 된다. 사람들이 왜 화를 내는지 내가 이해하지 못하는 것과 마찬가지다. 사실은, 고백할 게 있는데, 이건 고해, 내 인생에서 무척 드문 고해의 순간이며—어쩌면 그것이 내 삶의 또 다른 큰 문제인지도 모른다, 좀 더 자주 고백하지 않는 것—한번은, 여자 친구가 있었는데, 내가 그녀에게 분노를 이해할 수 없다고 말했을 때—왜냐하면 나는 내 부모가, 그분들이 화를 내는 걸 목격한 적이 한 번도 없었기에—그러니까, 내가 말하길, 사람들이 화내는 모습을 볼 때마다, 나는 한발 물러서고, 다만 물러서게 되며, 어떻게 대해야 할지 모르기 때문에, 다 자란 어른이 어떻게 화를 내고, 언성을 높이고, 이상한 목소리를 내는지 이해하지 못하기에—아니, 정말 하나도 이해할 수 없고, 그렇기에 나는 개처럼 되는데, 테이블 밑으로 기어 들어가서, 개들이 그러는 것처럼, 바짝 엎드린다—그림이 그려지는지? 그러자 이 여자가 말하길, 네 말을 못 믿겠어, 하지만 진짜 정말이라면 조만간 내가 뭔가를, 너를 진짜로 화나게 만들 뭔가를 해볼게, 왜냐면 너는 분노를 경험해야만 하니까. 아니, 내가 말했다, 필요 없어, 왜 내가 분노를 경험해봐야 하는데? 왜 인간은 그래야 한다는 거야? 그렇다면, 살인, 강도, 기타 등등은 왜 경험하지 않아? 아니, 그녀가 말했다, 하지만 너는 분노를 경험할 필요가 있어. 왜 왜? 내가 말했다. 그걸 경험하지 않으면 너는 완성되지 못할 테니까, 그녀가 말했다. 왜 내가 완성돼야 하는데? 완성에는 끝이 없어, 내가 말했다. 완성은 유행이다.

114

어쨌거나, 그녀는 사라졌고 나는 그녀가 나를 열받게 만들기 위해 무슨 계획을 세웠는지 결국 알아내지 못했다. 다시 말해, 내가 완성에 도달할 일은 없다는 거다. 다른 사람들이 화를 내는 상황이면, 나는 연극조가 된다. 나는 열받은 사람들을 흉내 낸다. 그 결과, 당연히, 아무도 나를 진지하게 여기지 않는다.

그렇지만, 까놓고 말해, 친애하는 친구들이여, 나는 완성되고 싶지 않다. 인생이 이 '완성'된다는 것과 대체 무슨 상관이란 말인가? 이 '완성' 어쩌고는, 모두 인간을 비참하게 만들기 위해 지어낸 것일 뿐이다. 심지어 나는 그게 뭔지도 모른다. 하지만 당신이 그렇게 말할 때면, 그건 무척 진지하게, 무척 중요하게 들린다. 어쨌거나, 완성되는 건 죽는 거다, *n'est pas*(그렇지 않습니까)? 그러니 나를 나의 미완성 속에 내버려두시길. 체스에서, 완성하는 건 장군이다. 혹은 이 소설을 완성하기. 만약 진실을 원한다면, 나는 이것을 완성할 의향이 전혀 없다. 그렇다고 내가 프루스트처럼 당신이 죽을 때까지 읽도록 만들겠다는 말은 아니다. 전혀. 이게 뭐가 될지, 추측건대, 나는 추측할 수밖에 없는데, 왜냐면 나는 이 소설에 대해 점점 더 많은 흥미를 느끼고 있기 때문이다―이건 뭐가 될까, 내 짐작엔, 결국 내가 이 모든 타이핑과 10분마다 리본을 바꾸는 일에 지쳐버릴 테고, 그게 끝, 마지막일 것이다, 우연히, 되는 대로, 예측할 수 없고 우리 인생의 다른 모든 것들처럼 아무 이유 없이, 결코 정말로 '완성된' 건 아니지만 사실은 언제나 완성된, 왜냐면 모든 것은 언제나 완성되어 **있고** 완성될 것이기에, 심지어 완성되지 않는다고 할지라도―왜 루이즈 부르주아의 아들이 프라하에서 내내 수트 케이스를 끌고 다녔는지, 나는 갑작스러운 질문을 받았다―그것은 완성의 일부이다―전화는 계속 울린다―나는 무시한다―내 머리는 지쳤고, 피로는

116

완성되었다—열한 시 반—고된 날—이건 당신 때문이 아니다, 친애하는 독자들이여, 나는 이 모든 것을 순전히 나를 위해 기록하고 있다—오늘 아침 사무실에서 나는, 먼지에 덮여 있던, 섹스 판타지가 적힌 종이 쪼가리 몇 장을, 청소를 하다가 발견했다—그건 꽤 멋진 섹스 판타지였고, 그걸 찾아서 읽었을 때 나는 무척 흥분했는데, 왜냐면 그걸 이 소설에 이어 붙일 수도 있겠다고 생각했기 때문이다. 당신의 음란한, 뭐라고 하면 좋을까, 흥미를 자극할 수 있도록. 사무실 직원 중 누가 그런 걸 쓸 만큼 천재적인 상상력을 가지고 있는지는 아직 파악하지 못했다. 앤솔로지 사무실에서 내가 아는 사람 중에 그토록 음란한 재능을 가진 사람이 있다고는 상상도 못 하겠다. 내가 이 '발견된-섹스-텍스트'를 소설에 집어넣기로 결정할지도 모르므로, 한 페이지도 그냥 넘겨버리지는 마시기를, 제발⋯⋯.

　나는 지금 생각 중이다. 솔직히 털어놓자면, 나는 한동안 타이핑을 멈추고 그냥 앉아서, 생각했다, 내가 진짜 화난 적이 있나? 기억나지 않았다. 분명 있긴 하겠지. 분노에도 정도라는 게, 다양한 변형이 있을 것이다. 불만. 성마름. 성마른 성질도 분노인가? 작은 폭발.

　또 다른 중단. 조명 몇 개를 꺼야 했다. 자정이다, 실은, 자정 2분 전이다, 정확히 말하면. 로브그리예의 교훈. 이제 나는 결정했다—조명을 끄는 동안 벌어진 일이었다—내 말은, 이 생각이, 그러니까 내가 정말 열받았던 순간들을 떠올리기 위해 노력해야 한다는 생각이 내게로 왔고, 그래서 나는 지금 그것에 대해 생각하는 중이다. 그러나 내가 생각할 수 있는 건 좌절뿐이다. 자, 자, 지금 갑자기 기억 속에 뭔가가 떠오르고 있다. 하지만 그건 다른 사람이 아니라, 나 자신에 대한 분노였던 것 같다. 내 기억에, 열다섯이나 열여섯 무렵, 삼촌에게 말했다, 신학을 공부해서 성직자가 되고 싶다고.

118

진심이니? 삼촌이 말했다. 그 순간 나는 내가 단지 삼촌을 기쁘게 해드리기 위해 그 말을 했다는 사실을 깨달았는데, 삼촌은 목사였던 것이다. 그 장면, 그 대화, 우리가 푸른 여름 들판을 가로질러 걸으며 나누던, 그것들이 내게로 되돌아와서, 내 기억 속에, 수없이 반복될 때마다, 나는 삼촌에게 그렇게 말한 스스로에게 분노를 느끼는데, 내가 말했던 건, 전혀 진심이 아니었기 때문이다. 모두 잘못된 말이었다. 그리고 그 대화를 떠올릴 때면, 진심도 아닌 말을 한 자신에게 화가 난다. 60년 전의 일이다. 하지만 나는 여전히 후회한다. 어떤가? 삼촌과 함께 여름 들판을 가로질러 걸으며 나누는 짧은 대화, 무언가를 말하고, 그런 다음 모든 것이 되돌아오는 거다, 60년 동안, 너무나 많은 일들이, 출산, 죽음, 재난, 전쟁 같은 일들이 벌써 오래전에 잊혔는데도. 어떤가? 본질적인 것들…… 사소한 것들…… 아, 진짜 중요한 본질적인 일들…… 그것들은 막상 당시에는 아주 사소하게, 아주 하찮게 보인다……. 그러나 다른 **큰** 일들이, 시간과 함께, 사라지는 동안, 이 작은 일들은 계속 자라난다…… 살아남아서…… 아, 그토록 생생하게. 이걸 쓰고 있는 지금 이 순간에도 너무나 생생하게…….

소설이 점점 더 자전적이 되어가는 것처럼 보인다면 미안하다. 하지만 어쩌라고. 요점은, 그것이 나를 계속 타이핑하게 한다는 거다. 당신이 읽든 말든, 그건 전혀 중요하지 않다. 요점은 **타이핑**이고, 올림피아 딜럭스와 나의 관계, 내 손가락들, 이 글자들, 너무 짧아서 5분마다 바꿔줘야 하는 이 리본—이것이 전부다, 친구들이여, 더는 없다네. 문학이랑은 아무 상관 없다. 하지만 이제 나는 자러 가야 한다. 내일, 친애하는 나의 올림피아 딜럭스여, 너에게로 돌아오리.

|

|

돌아왔다. 시간이 어떻게 흘러가는지. 지금은 1997년이고,

120

*   요나스 메카스가 종이를 발견한 날은 1997년 3월 25일이다. 따라서 1998년의 오타일 수도 있고, 정말
    "시간이 어떻게 흘러가는지" 알 수 없는 현실 감각의 오작동일 수도 있으며, 단순히 과거로 돌아간 것일
    수도 있다.

2월 19일이다.* 나는 생각 중이다. 왜 그런진 몰라도, 앉아

있는데 생각이 그냥 나를 찾아왔다. 자리에 앉아 타자기에 또
한 장의 종이를 끼우기 전까지 나는 내가 무엇을 쓰려 하는지

124

전혀 모른다. 그러나 갑자기 나는 생각하기 시작했다. 나는
나의 **10년**, 1939년부터 1949년까지, 고난의 **10년**에 대해
생각하는 중이다. 외국 군대의 점령. 추방, 가까운 친구들의

126

체포. 추방당한 이웃들, 추방당한 학교 친구들, 같은 교실,
같은 법정. 끔찍한, 모든 나쁜 기억들, 꿈들…… 무덤들……
고문을 묘사하는 말들. 훗날, 노동 수용소들, 공장들, 난민
수용소에서의 끝없는 나날들……. 이 모든 나열을 어디서

시작하고 멈춰야 하는지 나는 모른다. 어떻게 내가 다른 사람들처럼, 정상이 될 수 있을까? 물론, 나는 정상이고 싶고, 내가 정상이라고 상상하며, 심지어 정상적인 사람 같은 인상을 주거나 정상적인 사람처럼 보이는 데 그럭저럭 성공하기도 한다……. 하지만 직시하자, 불가능하다. 그건 **불가능하다.**

130

실은, 사실은, 끔찍한 진실은, 가장 밑바닥에 있는 근본적인
현실은 내가 신경쇠약의 만신창이라는 거다. 당장이라도
신경쇠약이 올 수 있지만 견디고 있다. 나는 견디고 있고
바라건대 다음번 환생까지 내가 견딜 수 있기를, 친애하는
친구들이여, 천둥과 함께 모든 것이 무너져 내릴 때, 벼락처럼
그것은, 우레와 같은 신경쇠약이, 찾아올 것이다. 어제 잘 잤어?

132

아침에 리셋이 물었다. 아니, 나는 말했다, 잘 못 잤어. 어린 시절
이후로 푹 잔 적이 없는 것 같아, 내가 말했다.

|
|

이제 며칠이 지났다.

　나는 과감한 결단을 내렸는데, 이런 거다. 초짜 소설가로서,
지금까지 내가 쓴 것은, 전부 헛소리다. 과감한 결단은 뭔지,

134

알고 싶나?

　나는 처음부터 다시 시작하기로 결심했다. 그리하여 여기 새로운 시작이 있다. 이제 내가 더 나은 길에 올라섰다고, 심지어 올바른 길에 올라섰는지 모른다고, 나는 진심으로 믿는다. 길, 길을 걷기.

　지금 시작한다.

나는 걷고 있었다. 나는—

아니, 약간 수정.

그는 걷고 있었다.

아니, 처음 게 낫겠다.

나는 걷고 있었다.

나는 아주, 아주 천천히 걷고 있었다. 말하자면,

한 발 한 발, 걸음을 전부 셀 수도 있을 정도로.

나는 천천히 걷고 있었는데, 기온이 40도에 가까웠기에.

땀은 흘리지 않았다.

.

낮은 녹색 나뭇가지가 내 모자 끝을 부드럽게 스쳤다.

아, 나는 말했다, 나는 자연과 연결되었다고.

나는 뒤를 돌아―천천히, 물론, 그리고 되돌아갔다―

두 걸음, 정말로, 나무를 향해서 나뭇잎으로 가득한 작은
가지가 손가락 사이로 빠져나가도록―

오래된 범신론적인 동작, 내 범신론적인 리투아니아의
과거에서 되뿜어진―

그런 다음 나는 계속해서 걸었다.

내게는 아무 목적도 없었다. 무엇을 하고 싶은지도 결정하지
못했다.

140

나는 그냥 걷고 있었다. 머릿속에는 생각의 흔적도 찾을 수 없었다. 이 글을 쓰면서도, 내가 아는 한, 아무 생각도 하지 않고 있었다.

　　라디오에서 나오는 이 "키스하고 다시 키스하고 계속 계속 하다가 잠에서 깬다"가 뭐지.

　　시간, 12시 32분. 목소리가 말한다…… 놓쳐버렸다.

　　이 새로운 시작이 먹힐지 모르겠다. 그렇지만 계속하도록 하자.

|

|

그래, 나는 걷고 있었고 생각하지 않고 있었다. 나는 이 길을

142

걷고 있었다. 디캘브, 저 위에 그렇게 쓰여 있다. 물론 나는
브루클린에 있고 아무도 브루클린을 모르기에 당신은 내가
있는 곳을 모른다. 나는 모든 친구들에게 그렇게 말하고
다니는데 그런 다음 친구들을 똑바로 바라보면서, 토머스
울프가 쓴 단편을 읽어본 적 있느냐고 물으면 그들은 나를 마주
보는데 물론 그들은 읽지 않았고, 나는 모든 것을 읽기에 그것도
읽었으며, 나는 브루클린에 대해 아주 많은 것을 안다.

|

|

나는 어디로 가는 걸까?
여전히 모르겠다.

|

144

먹을 기분은 아니다. 지금 지나치는 여기 식당의 굴은 늘
따듯하다. 나는 차가운 굴이 좋다. 굴을 먹을 때면 차갑고
신비한 깊은 바닷속 공간에서, 물에서 방금 왔다는 생각이
들어야 한다.

　나는 물에 대해 많이 생각한다. 매일 물을 아마 3리터는
넘게 마시는 벤이랑 달리, 나는 좀처럼 물을 마시지 않는다.
목이 마르면 대신 와인을 마신다. 하지만 이건 아무 상관
없는 얘기다. 이 말을 꺼낸 건 내가 굴을 통해 바다에 엄청난
애착을 가지고 있기 때문이다. 하지만 나는 염소자리의 염소로,
바다나 해변에는 절대 가지 않으며, 물과 나는 검은색과
흰색 같고, 아주 가끔 수영을 해보려 시도할 때면 물이 나를
공격하는 것처럼 느껴지는데, 물은 나를 삼키려 들고, 심해에는

146

나를 위협하는 무언가가, 어떤 초능력이, 생명의 기원이
있는데, 그것은 생명을 다시 거둬들이고자 한다. 그게 뭔지는
모르겠지만 내가, 그, 배를 탈 때면—가장 끔찍한 경험은 프랑스
인근의 대서양 한가운데에서, 크디큰 선박, 큰 배 안에 있을
때로, 내가 지금 무슨 배를 말하는지 당신도 알 거다, 아주 큰 거
말이다—갑자기 바다가 결연히 나를 공격하는 게 느껴졌는데,
포세이돈이나 그 비슷한 태초의 심연의 다른 악마가, 마치 내가
침입하기라도 한 것처럼, 나를 끌어당겼고 나는 끌려 내려가지
않으려고 안간힘을 쓰며 독창성을, 그래, 독창성을 발휘해야
했다. 그건 나를 시험하고 있었고, 내가 느끼기에, 나의 존재
자체를 공격하고, 시험하며 이렇게 말하는 것 같았다, 어이,
여기 있었구나, 이 아무것도 아닌 꼬맹이야, 나는 언제든지 너를
벌레처럼 삼킬 수 있는데, 그럼 너는 어떻게 할 거야? 스스로를
위해 무엇을 보여줄 수 있고, 너에겐 무엇이 남아 있을까,

148

너한테, 어? 그러니 너 자신이 되려고 노력하고, 거기 네가
얼마나 있는지 봐, 이 작은 벌레야…….

|

|

그런 날들이 계속됐다. 참을 수 없었다. 일주일 동안 나는
대서양과 이런 대화를 나눴고, 밤낮으로, 깨어 있을 때나
잠들었을 때나, 그것은 나를 비웃고, 시험하고, 가지고
놀았으며, 그리고 나는, 나는 뉴욕에서 3천 마일 떨어지고
파리에서 3천 마일 떨어진 곳에서, 내가 그 모든 물보다,
원형질보다, 원시 H2O보다 훨얼씬 우월하고, 훨씬 앞서 있는,
오래전에 물을 떠난, 물고기와 거북이를 떠난 문명의 일원이자
이제는 20세기 문명의 일원이라고! 주장하는, 포기하지 않고,
포기하지 않기로 결심한 작고 하찮은 존재였다. 그리고 우리를
여전히 묶어주는 유일한 건 굴이야, 이 커다란 멍청아! 그리고
이 모든 일은, 내가 말했듯, 또 다른 커다란 멍청이, 프랑스라고

150

불리는 커다란 배에서도 계속해서 이어졌다.

　　　　　　　　　|

맥주 한잔하러 가기로 했다. 디캘브 모퉁이 뭐라고? 아무리
작은 거리라고 해도 왜 거리 이름을 안 쓰는 건지.
　　바로 앞 테이블에 작은, 아마도 한 살 정도 된, 아이를 무릎에
앉힌 흑인 남자. 아이는 무척 활발하다. 남자의 신문이 바닥으로
떨어진다. 남자는 주우려고 하지만, 무릎에 앉은 아이 때문에,
충분히 숙일 수가 없다. 그들 옆에 놓인 거대하고 흉측한
유아차. 거대한. 나는 예의 바르게 행동하기로 한다. 제가
주워드리죠, 나는 말한다. 나는 신문「데일리 뉴스」를 집어
들어 남자에게 건넨다. 그러다 유아차가 다시 눈에 들어오고
피가 끓기 시작한다. 한 가지 말해둬야 할 사실은, 친애하는
독자들이여, 나는 유아차를 어마어마하게 싫어한다. 말하건대,
만약 내가 일에 그렇게 묶여 있지만 않았어도, 나는 유아차를
몰아내기 위한 시위를 조직했을 거다.
　　"왜 이런 못생긴 유아차가 필요한가요, 그냥 아이를 끼고

152

다니면 되잖아요, 꼭 안고서요." 나는 남자에게 말한다. 그런
다음 유아차 뒤에 서서 말한다. "보세요, 당신은 여기 서서,
아이를 이렇게 밀어요, 그러면 아이는 저기 앉아서, 고작해야
눈앞에 있는 길거리, 미친 군중, 낯선 사람들이나 보겠죠. 왜요?
왜 당신 애한테 이런 짓을 하는 거죠?" 남자가 말한다. "하지만
애가 좋아하는 걸요, 괜찮아요." 아니, 나는 말하고 싶다, 안
괜찮다고. 하지만 하지 않는다. 그래봤자 남자는 내가 하는 말을
이해하지 못할 테니까. 그래서 나는 말한다. "그래요, 물론이죠,
괜찮아요." 그리고 나는 내 테이블로 돌아온다. 하지만 이제
아이는 내가 자기 친구라고 생각한다. 유아차에 대해 말해서가
아니라 자기 아빠에게 말했기 때문에. 그리하여 아이는 계속
나를 바라보며, 친근한 웃음을 짓는다. 나는 맥주를 주문한다.

|

여기에는 에어컨이 없다. 그래서 좋다. 불편하지 않다. 나는
에어컨을 싫어한다. 내가 환경 운동가는 아니다. 그냥 에어컨을
싫어하는 사람이다. 나는 평범한 공기가 좋다. 열기가 좋다.
그래, 나는 열기가 좋다. 여름이라면 응당 더워야 한다, 나는

154

그렇다. 땀을 흘려야 한다. 내게는 그것이 여름의 즐거움 중 하나다, 땀 흘리는 것.

그렇지만 열기 때문에, 여름 때문에 산만해지지는 말도록 하자.

다시 이야기로 돌아가자.

또 다른 날이다.

가고 있어요, 그가 말했다.

종종, 그건 내가 가진 무척 이상한 버릇인데, 나는 나를 삼인칭으로 부른다.

|

그는 시원한 초가을의 거리로 걸어나갔다.

이 모든 헛소리들, 그는 생각했다.

그는 디캘브로를 향해 계속해서 걸었다. 급하게 처리할 일도, 보고 싶은 사람도 없었다. 그래서 그는 그저 걸었다, 뭔가 흥미로운 일이 벌어지기를 기대하지도 않으면서.

혼자 있는 기분이 좋았다.

여자 친구는 목요일에 그를 떠났고, 그녀는 지금 멕시코에 있다. 속이 시원하다고, 그는 생각했다. 그는 다툼을 싫어했고,

156

그녀는 다툼을 즐겼다. 그래, 속이 다 시원하네. 갑자기 온 세상이 접시에 놓인 듯 눈앞에 펼쳐지며 그는 대단한 자유를 느꼈다. 어찌나 행복했던지 몇 년 동안 불지 않던 휘파람까지 불었다. 디캘브 모퉁이에서 그는 좋아하는 아일랜드 바에 들렀다. 동네 사람들 몇이 안 유명한 팀들이 벌이는 축구 시합에 푹 빠져 있었다.

기네스?—웨이트리스는 그를 무척 잘 알았다.

어떻게 알았어요?—그가 웃으며 말했다.

그는 창가의 빈 테이블에 앉아 일요일의 브루클린 거리를 바라보았다.

|

그러나 지금, 친애하는 독자여, 이건 정말 재앙이다. 브루클린 한복판에서 내가 진짜로 이야기에, 내가 아는 진짜 이야기, 내 직감이 여러분이 정말로 흥미를 느끼기 시작했다고 말해주는, 그러니까 내 말은 내 이야기에, 진짜 이야기에 빠져들기 시작했다고 생각했던 순간—갑자기 나는 멈춰야 했다. 너무나도 멍청한 이유로. 나는 어젯밤 꿈을 떠올렸는데, 기억 속에 꿈이 불쑥 튀어나왔다. 나는 꿈을 절대 기억하지 못하고, 때로는 대부분의 밤에 꿈을 전혀 꾸지 않고, 그냥

158

잠에 들어서, 거기 누운 채로, 전적으로 공허한, 거대한 공허가
되는 듯한 기분을 느끼기도 한다. 하지만 오늘 아침에는 꿈을
꾼 게 확실했고, 꿈을 꾸긴 했지만—기억의 장난에도, 아무리
애를 써도 꿈을 되살릴 수는 없었다, 휘유. 꿈은 사라졌다.
꿈처럼 사라졌다니, 이 얼마나 적절한 표현인지. 꿈처럼
사라졌다. 하지만 이제, 가장 부적절한 순간에, 꿈이 머릿속에서
튀어나왔고, 그냥 튀어나와 거기에 있었다. ㅌ를 누르기 직전에
내 손가락이 공중에 얼어붙었다.

    탁월한 타이밍이야.

|

아주 단순한 꿈이었다. 나는 내가 소설을 쓰는 꿈을 꿨다.
그런데 이상하게도, 펜으로 소설을 쓰고 있었다, 올림피아
딜럭스로 쓰는 게 아니라! 상술에 눈이 먼 한심한 요즘 펜은
아니었다, 아니고말고. 나는 진짜 옛날 스타일의 펜으로 쓰고
있었는데, 내 말이 무슨 말인지 알겠나?

    펜, 펜을 상상할 수 있는지? 연필이 아니고, 매직 마커도
아니다, 제발 제발 제발. 잉크에 담근 펜으로 나는 썼다,
꿈속에서 나는 썼다, 잉크에 담가 쓰고 또 썼다. 쓰면서 나는
작디작은 소리를 들었는데, 초등학교에 다닐 때 그렇게 했던
것처럼, 종이를 살짝 긁을 때 나는, 텅 빈 백지 위로 부드럽게

160

펜을 움직이는 소리였다. 그래, 나는 종이를 따라 손을
움직였고, 펜촉이 문자의 형태를 그리고 단어들을 쓰며 검은
잉크의 아름다운 자취를 남겼고, 때때로 네모난 유리 잉크병에
펜을 담갔다가 계속해서 쓸 때면 손가락의 압력에 따라 펜
끝이 부드럽게 갈라지곤 했다. 나무젓가락처럼 생긴 펜 앞에
끼워진 펜촉은, 부드러운 금속으로 만들어졌다―정확히,
상상할 수 있듯이, 옛날 필경사들이 그랬던 것처럼, 그리고 전에
나는, 황새를 가지고, 단단하고 뻣뻣한 황새 깃털로, 써보기도
했는데―부드럽고, 구부러져서, 조심해서 써야 한다. 밤이
새도록, 나는 잉크병에 펜을 담갔고, 꿈속에서, 나는 쓰고 또
썼다―밤새도록 나는 썼다. 물론, 나는 소설을 썼다. 깊은, 밤의
완연한 고요 속에서. 차도, 라디오도, TV도, 비행기도 없고,
나는 열다섯 살이고 리투아니아의 내 고향에 있는데 그곳은
정적으로 가득했고 그 정적 속에서 나는 내 잉크 펜의 소리를,
내가 소설을 쓸 때 나는 펜의 부드럽고 달콤한 소리를 들을
수 있었다. 그리고 나는 멈췄다. 내 손은 움직임을 멈췄다. 펜
소리도 멈췄다. 나는 소설을 끝냈다.
　이제 나는 글자 ㅌ 위에 얼어붙어 있는, 손가락을 바라보았다.
그리고 내가 어떻게 끝냈는지 기억해내려 노력했는데,
내 소설을, 어떻게 끝냈는지, 꿈속에서. 하지만 그건 모두
사라졌다, 꿈처럼 사라져버렸다.

필모그래피

1961년에서 2019년까지 선별된 영화

나무의 총들
Guns of the Trees
1961   87분, 흑백

예술 영화 잡지
Film Magazine of the Arts
1963   17분, 흑백, 컬러

영창
The Brig
1964   68분, 흑백

앤디 워홀에게 이 상을 드립니다
Award Presentation to
Andy Warhol
1964   12분, 흑백

밀브룩에서 온 소식
Report from Millbrook
1966   12분, 컬러

하레 크리슈나
Hare Krishna
1964   4분, 컬러

서커스에 대한 기록
Notes on the Circus
1966   12분, 컬러

카시스
Cassis
1966   5분, 컬러

이탈리아 노트북
The Italian Notebook
1967   15분, 컬러

타임 앤드 포춘 베트남 뉴스릴
Time and Fortune Vietnam
Newsreel
1969   4분, 컬러

월든
Walden
1969   176분, 컬러

리투아니아 여행의 추억
Reminiscences of a Journey to
Lithuania
1972   82분, 컬러

로스트 로스트 로스트
Lost Lost Lost
1976   174분, 흑백, 컬러

사이에서
In Between: 1964~68
1978   52분, 흑백, 컬러

164

제롬에게 보내는 편지
Notes for Jerome
1978 45분, 컬러

천국은 아직 여기에,
혹은 세 살을 맞이한 우나
Paradise Not Yet Lost,
or Oona's Third Year
1979 97분, 컬러

거리의 노래
Street Songs
1983 11분, 흑백

컵/받침/두 무용수/라디오
cup/saucer/two dancers/
radio
1983 23분, 컬러

에릭 호킨스: ‹지금 여기서
바라보다›에서 발췌 / 루치아
들루고셰프스키 연주
Erick Hawkins: Excerpts
from "Here and Now
with Watchers" / Lucia
Dlugoszewski Performs
1983 6분, 흑백

그는 삶의 시간을 세며
사막에 서 있다
He Stands in a Desert
Counting the Seconds of
His Life
1985 149분, 컬러

앤디 워홀의 삶의 장면들
Scenes from the Life of
Andy Warhol: Friendships &
Intersections
1990 35분, 컬러

칼 G. 융 혹은 현자의 돌
Carl G. Jung or
Lapis Philosophorum
1991 29분, 컬러

제피로 토르나 혹은 조지
머추너스의 삶
Zefiro Torna or Scenes from
the Life of George Maciunas
1992 37분, 흑백, 컬러

내가 만난 후지야마에게 가는 길
On My Way to Fujiyama I
met...
1995 25분, 컬러

생일 축하해요, 존 레논
Happy Birthday to John
1995 24분, 컬러

프랑켄슈타인의 추억
Memories of Frankenstein
1996 95분, 컬러

국가의 탄생
Birth of a Nation
1996 81분, 컬러

아비뇽의 노래
Song of Avignon
2000 9분, 컬러

눈 속에 기억을 가지고 다니는
남자의 자서전
Autobiography of a Man
Who Carried his Memory in
his Eyes
2000 53분, 컬러

우연히 나는 아름다움의
섬광을 보았다
As I Was Moving Ahead
Occasionally I Saw Brief
Glimpses of Beauty
2000　283분, 컬러

오래된 동화
Ein Märchen aus alten Zeiten
2001　6분, 컬러

미스터리들
Mysteries
2002　34분, 흑백

윌리엄스버그, 브루클린
Williamsburg, Brooklyn
2002　15분, 흑백, 컬러

여행 서사시
Travel Songs
2003　28분, 컬러

그린포인트에서 온 편지
A Letter from Greenpoint
2004　78분, 컬러

마틴 스코세이지에 관한 노트
Notes on an American
Film Director at Work:
Martin Scorsese
2005　80분, 컬러

첫 마흔
First Forty
2006　193분, 흑백, 컬러

리투아니아와 소련의 붕괴
Lithuania and the Collapse of
the USSR
2008　289분, 컬러

서신 교환: 요나스 메카스-
호세 루이스 게린
Correspondences:
Jonas Mekas-J.L. Guerín
2011　100분, 흑백, 컬러

잠 못 드는 밤 이야기
Sleepless Nights Stories
2011　114분, 컬러

독일에서의 회고록
Reminiszenzen aus
Deutschland
2012　25분, 컬러

행복한 삶의 기록에서
삭제된 부분
Out-Takes from the Life of a
Happy Man
2012　68분, 컬러

레퀴엠
Requiem
2019　84분, 흑백, 컬러

168

다이어리, 노트 그리고 메카스

내 인생이 어디서 시작하고 어디서
끝나는지 알 수가 없었다. 결코 알아낼
수 없었다, 무슨 의미인지, 그래서 지금
필름을 모두 합쳐서 엮기 시작한다.
우선은 연대순으로 정리하려 했지만
포기했고 모아놨던 방식대로 무작위로
필름을 이어 붙였는데, 내 인생 어느
부분이 의미가 있는지 모르기 때문이다,
라는 말로 요나스 메카스는 ‹우연히
나는 아름다움의 섬광을 보았다›를
시작한다. 나도 같은 말로 이 짧은 글을
시작하고 싶다. 다만 내 경우엔 필름이
아닌 일기를, 무작위로, 어느 부분이
의미가 있는지는 여전히 모르는 채로,
메카스가 언급된 부분과 그 앞뒤의 작은
조각들을 한데 모아 만드는 콜라주.
메카스는 계속해서 말한다. 그러니
되는대로, 무질서하더라도, 하도록 하자.
나름의 질서가 있을 것이다, 질서 자체의
질서가, 내가 알지는 못해도……

요나스 메카스는 1922년
크리스마스이브에 리투아니아에서
태어난 영화감독 겸 시인이다.
제2차세계대전 중에 독일군에게
붙잡혀 강제수용소로 이송되지만
동생 아돌파스 메카스와 함께 탈출에
성공한다. 종전 이후 독일에서 대학을
졸업하고 뉴욕으로 간 메카스는
그곳에서 16mm 카메라로 일상의
모습을 기록하며 '일기 영화'라는 형식을
사실상 발명한다.

　뉴욕의 아방가르드 영화 운동에도
깊이 관여한 메카스는 1954년 12월,
동생 아돌파스와 다른 동료들과 함께
잡지 《필름 컬처》를 창간한다. 곧
미국에서 가장 중요한 영화 출판물이
될 잡지는 시작부터 좌초될 위기에
처한다. 창간호를 찍은 인쇄소에 줄 돈이
없어 고소당하기 일보 직전까지 몰린
것이다. 그는 돈을 빌리기 위해 헨리
밀러를 찾아갔고, 언제나 화가 나 있는
것으로 악명 높은 소설가의 불평불만을
한참 들어줘야 했다. "요즘 사람들은 내
작품을 통 이해하지 못한다니까! 다들
헛똑똑이에 반푼어치들뿐이고! 미국의
문화라는 것도 유럽에 비하면 75년은
뒤처져 있다고! 75년!"

　메카스의 일기를 읽으며 나는
모든 위대한 일에는 고난이 따르는
법이라고, 비록 전망은 어둡고 꽉
막혀 어디로도 움직이지 못할 것 같은
순간이라도 결코 포기해서는 안 된다는
생각을 하지는 않고, 대신 나도 유명한
작가에게 찾아가서 돈이나 빌려볼까
생각했다. 누구를 찾아가지? 소설가
김훈? 좋아, 마침 일산에 있다는 그의
작업실을 찾아가서 이렇게 말하는 거다.
저…… 돈이 좀 필요해서 왔는데요,
아니요, 그런 건 아니고, 그냥 제가
요즘 오디오에 좀 빠져서요, 8개월
무이자 할부를 너무 많이 하는 바람에
돈이……

171

2022년 2월 16일 수요일

며칠 전에 버스를 타고 집 가는 길에 갑자기 2017년 국립현대미술관에서 했던 요나스 메카스 전 도록이 사고 싶어져서 워크룸프레스 출판사에 메일을 보냈는데 답장이 왔다. 자기들은 디자인해서 납품만 한 거라 팔 수가 없고 국현 쪽에 문의해보라고 메일 주소를 줘서 보냈는데 아직 답이 없다.

2022년 6월 9일 금요일

너무 피곤하고 좀처럼 일도 손에 안 잡혀서 음악을 들으면서 초조해하고 있는데 알라딘에서 문자가 왔다. 어제 주문한 큐어 베스트 앨범 LP가 품절이라 취소되었다고. 차라리 좋아. 왜냐면 86유로에 배송비까지 하면 120유로 가까이 나갈 요나스 메카스 다이어리 무비 블루레이 박스 세트(2000장 한정)가 곧 판매를 시작할 것이므로. 전 지구적인 스태그플레이션이 시작될 거라는데 이런데 돈을 써도 되나 싶긴 하지만 사지 않을 수 있나? 요나스 메카슨데?

2022년 7월 4일 월요일

11번가 아마존에 특가로 올라온 LP를 검색하다가 문득 생각나서 요나스 메카스의 두 번째 일기를 검색해봤다. 보름 전에 알라딘에 주문했는데 일정보다 늦어져서 아직 받지 못한 책이었다. 그런데 웬걸, 내가 구입한 가격의 거의 반값에 팔리고 있는 게 아닌가? 취소하고 새로 주문하려는데 외서의 경우 고객의 요청에 의해 수입이 진행되는 만큼 20퍼센트 취소 수수료가 차감된다고 했다. 귀찮은데 하지 말까? 조금 망설였지만 그냥 했다. 그걸 감안하더라도 더 싸서.
　　그런데 뭔가 이상했다. 새로 주문하려고 보니 11번가 아마존에서 파는 건 〖I Seem to Live: The New York Diaries, 1969-2011: Volume 2〗가 아니라 〖Jonas Mekas:

Scrapbook of the Sixties: Writings 1954-2010』였다. 심지어 내가 이미 가지고 있는……. 결국 메카스 일기를 싸게 사기는커녕 사지도 못하고 취소 수수료 12000원만 허공으로 사라져버렸다. 보름 동안 기다린 책도 함께. 카뮈는 1949년 오늘 날짜의 일기를 밑도 끝도 없는 "안녕"이라는 인사로 마무리했는데, 이유는 다르지만 나도 같은 말로 오늘의 일기를 끝내야 할 것 같은 기분이다.

안녕.

2022년 7월 10일 일요일

알라딘에 요나스 메카스를 검색했다가 『I Seem to Live: The New York Diaries, 1969-2011: Volume 2』를 오늘 주문하면 내일 받을 수 있다는 사실을 알게 되었다. 내가 전에 주문했다가 수수료 12000원을 내고 취소한 그 책이 해외에서 도착한 모양이었다. 가격은 그때보다 1500원 정도 더 비쌌는데, 환율이 많이 오르긴 한 모양이었다. 그래서 눈물을 머금고 주문했다. 결국 어처구니없는 착각 때문에 같은 책을 13500원 더 주고 산 셈이다. 그래도 하루 배송 되는 게 어디냐! 물론 취소하지 않고 기다렸다면 훨씬 더 일찍 받았겠지만…….

2022년 7월 12일 화요일

작업실에 올라오니 주말 동안 온 택배들이 쌓여 있었다. 아마존에서 온 LP들(테일러 스위프트, 톰 페티 앤드 하트브레이커스, 비틀스)과 예스랑 알라딘에서 온 책들(『등대로』, 에쎄 세트, 『잠긴 방』) 그리고 원서 두 권(메카스 일기, 자비스 코커 자서전)…… 와 정말 최고의 조합이 아닌가? 그동안 수많은 책을 사왔지만 이렇게 최고 되는 조합은 또 오랜만이었다.

메카스 계속 읽다. 앙리 랑글루아가 시네마테크 프랑세즈를 위해 그랬던 것처럼 자신이 설립한 뉴욕 앤솔로지 필름 아카이브의 운영을 위해 분투하던 메카스는 1986년 7월 15일의 일기를 이렇게 시작한다.

> 나는 시인이고 영화감독이다. 하지만 나는 돈 편지(money letter)를 쓰도록 저주받았다. 내가 돈 편지를 너무 싫어해서 최소한 한 시간—대개는 더 많이—을 앉아서 나 자신에게 고통스러운 작업을 해야 한다는 사실을 알고 있는지? 앉아서 돈 편지를 쓰거나 돈 전화를 걸 수 있는 마음의 상태로 스스로를 몰아붙이려면 말이다.

환갑이 훌쩍 넘은 나이에도 여전히 후원금을 받기 위해 편지와 전화를 해야 하는 메카스의 마음을 생각하니 조금 아득해졌다……
구글에 '앤솔로지 필름 아카이브'를 검색했다가 재밌는 기사를 발견했다. 1995년 6월 18일 중앙일보 기사였는데, 뉴욕 앤솔로지 필름 아카이브를 소개하는 '지구촌 이색 문화 공간'이라는 기획 기사를 최훈 기자는 이렇게 마무리하고 있었다.

> AFA에선 매주 2~3차례씩 이 같은 실험 영화를 상영, 연 2만여 명의 애호가, 학자, 학생, 예술인들이 모여든다. 그러나 '입장 수입 등 10만 달러를 제외한 나머지 30만 달러는 기업, 정부의 기부 등으로 운영하고 유급 직원은 3명뿐'이라고 '실험 정신'의 난관을 호소하는 이곳에선 취재진에게조차 7달러의 입장료를 면제해주지 못했다.

2022년 9월 2일 금요일

생일을 맞아 다른 사람들은 생일을 어떻게 보냈는지 일기를 찾아봤다. 먼저 1922년 12월 24일 태어난 요나스 메카스부터. 메카스는 1950년에서 2011년까지 60년 넘는 시간 동안 일기를 썼지만, 생일에 쓴 일기는 많지 않다. 그나마도 생일에 대한 언급은 없다. 38세 생일에 동료와 카메라 감독을 기용하는 일을 두고 다툰 메카스는 일기에 이렇게 쓴다.

> 지금은 완벽한 책을 쓰거나 완벽한 영화를 만들 때가 아니다. 지금은 닳고 닳은 기술들, 이름들, 주제와 형식들에서 벗어날 때다. 그건 고명하신 기술과 이름들에 정중한 존중을 보내면서가 아니라 가볍게 무시해야만, 심지어 그들의 코앞에서 비웃어야만 할 수 있는 일이다! (……) 우리는 우리의 움직임과 리듬과 빛과 기술을 찾을 것이다. 우리는 아무것도 빌리지 않을 것이다. 우리는 그만큼 오만하다.

2022년 9월 20일 화요일

최선혜 대표에게 요나스 메카스 계약이 거의 완료됐다고 번역 계약서를 쓰자고 메일이 왔다. 나야 언제든지 좋다고 답장했다.

2022년 10월 20일 목요일

재욱이가 내 생일 선물로 주문했다던 메카스의 『수동 타자기를 위한 레퀴엠』이 드디어 왔다. 생각보다 엄청 얇았다. 소설이라기에 어떤 내용일까 궁금했는데, 얼핏 훑어보니 메카스 영화 같은 소설이었다. 그때그때 눈앞에 보이는 것들을 카메라에 담듯, 그때그때 떠오르는 것들을 타자기에 기록한……. 대부분의 일이 그렇듯 막상 실제로 해야 한다고 생각하니 이런저런 걱정부터 들었다. 그럴 필요 없지. 시간의흐름 대표에게 메일을 보냈고 아직 독일

출판사에서 계약서가 오지 않았다고, 오면 연락하겠다고 했다. 바쁠 것 없지.

2023년 4월 13일 목요일

소설도 써야 하고 메카스 번역도 해야 하니 작년에 산 메카스 블루레이를 봐야겠다고 생각했다. 이제야. 그것들이 서로 무슨 상관이 있는지는 나도 모르겠지만……. 그런데 왜 플레이가 안 되지? 한참 검색하고 이런저런 프로그램을 깔고 지우고 했는데도 안 돼서 포기하려는데, 새로 설치한 그래픽 드라이버 때문에 그런지 갑자기 미세 끊김이 엄청 심해졌다. 마우스를 획획 움직이면 뚝뚝뚝뚝 포인터가 각기춤을 췄다. 순간 모든 의욕이 사라졌고 눕고 싶고 울고 싶고 아무도 없는 곳으로 사라지고 싶었다, 영영…….

2023년 4월 27일 목요일

소설 조금 썼다. 진짜 조금 썼는데 시간이 다 어디로 간 거지? 내가 뭘 썼는지도 모르겠고. 그러다 집에 갈 시간 30분 남겨놓고 요나스 메카스 번역을 시작했는데 너무 편안하고 너무 행복했다. 겨우 첫 페이지를 번역했을 뿐인데 갑자기 내가 막 글을 잘 쓰게 된 것 같고 그랬다. 꼭 내가 쓴 것 같아서. 정말 그랬으면 얼마나 좋을까…….

2023년 4월 28일 금요일

『수동 타자기를 위한 레퀴엠』 번역하는데 정말 너무 재밌네. 조지 오웰이랑 달리 요나스 메카스 문체는 뭐랄까, 좀 더 내 스타일이다. 마침표 대신 쉼표로 길게 나열한 문장들 번역하는 게 생각보다 까다롭긴 한데, 그런 부분도 정영문 같고 좋다. 아직은. 혼자 웃으며 작업하다 보니 어느덧 집에 갈 시간이었다. 일 더하고 싶은데. 젠장, 나 좀 일중독인 듯?

2023년 5월 2일 화요일

한동안 묵혀두었던 소설 파일을 열어서
조금 봤는데, 이렇게 쓰면 안 될 것 같고
지워야 할 것 같고 그래서 고민하다가
바로 지우진 말고 조금만 더 묵혀보자
해서 요나스 메카스 번역했다. 오늘은
다소 이상한 호흡의 문장들이 종종
나타났는데. 하지만 그 경우에도 번역이
그리 어렵지는 않았다. 어쩜 같은
영어인데 오웰하고 이렇게 다른지.

2023년 5월 15일 월요일

요나스 메카스 번역. 또 문장이 쉼표로
엄청 길게 이어지는 구간이 나왔는데,
이걸 어떻게 해야 할지 모르겠다. 쉼표를
살려야 할지 말아야 할지, 문장을 내
임의대로 끊어도 되는지 같은 것들.
그리고 쉼표로 이어진 문장들의 순서는
또 어떻게 할지……. 일단 최대한
살리되 어색하지 않게 바꾸는 쪽으로
해봤다.

2023년 5월 30일 화요일

K. D. 데이비슨이 감독한 요나스
메카스 다큐멘터리 ‹낙원의
파편fragments of paradise›을
오늘 한 시까지 온라인으로 무료
공개한다고 해서 노트북 들고
부랴부랴 커피숍 왔다. 비메오에
비공개로 올라와 있어서 웹페이지에
관람 신청을 하면 비밀번호를 메일로
보내주는 형식이었다. 비밀번호:
FriendsOfMekas.
   커피 한 잔 시켜놓고 윈도우 화면
녹화기를 켜놓고 보기 시작했다. 딱히
어딘가에 공유를 할 생각 같은 건
아니었고, 혹시라도 나중에 다시 보고
확인할 필요가 있을까 봐, 개인 소장을
위해서(나중에 확인해보니 녹화는
되지 않았다). 자막은 없고 비메오가
자동으로 제공하는 영어 자막이
나왔는데 제법 정확한 것 같았다. 물론
확신할 수는 없지만…….
   보는 동안 이런저런 생각이 들었는데

끝나고 나니 그냥 좋았던 기억만 남았다. 메카스는 '꾸준히'라는 말로도 부족하게 쉼 없이 일을 한 사람, 스스로 일기가 된 사람, 종종 불행했지만(놀랍게도) 결국 행복한(더욱 놀랍게도) 사람이었다. 다큐멘터리(에서 사용한 토크쇼와 메카스 영화의 푸티지)에서 메카스는 이렇게 말한다.

> 나는 어떤 부분들을 골라 그것들이 마치 삶을 기념하는 것처럼 촬영한다. 기질, 태도, 존재의 상태. 공중에 떠 있는 듯한 느낌. 기록된 인간 삶의 노출 시간을 조절하고, 그 디테일들을 보면서 내가 느끼는 감정에 집중하며 지금 일어나는 현실을 포착한다. 그것이 내 일기 형식의 시작이었다.

요나스 메카스가 영상을 가지고 했던 걸 나는 글을 가지고 하고 싶은 걸까?
　영화가 끝나니 정확하게 한 시였고, 창을 닫자마자 지돈 씨에게 전화가 걸려 왔다. 곧 출간될 우리의 책 '한국 영화에서 길을 잃은 한국 사람들' 제목을 '우리는 가끔 아름다움의 섬광을 보았다'라고 하면 어떻겠느냐는 것이었다. 물론 메카스의 ⟨우연히 나는 아름다움의 섬광을 보았다⟩에서 빌려온 제목이었다. 소름…… 이제 비로소 모든 것이 맞아떨어지는 느낌? 그러면서 이런 대화도 했다.

지돈:　저는 이 책이 앞으로 한국 영화를 이야기할 때 빼놓을 수 없는 역사적인 책이 될 거라고 생각해요.

정연:　저는 [[문학의 기쁨]]이 나왔을 때 앞으로 한국 문학을 이야기할 때 빼놓을 수 없는 역사적인 책이 될 거라고 생각했어요…….

2023년 6월 3일 토요일

매일 요나스 메카스 생각한다. 생각이
아니라 번역을 마무리해야 하는데,
생각이라도 하는 게 어딘가 싶기도
하고…….

2023년 6월 5일 월요일

아무것도 하고 싶지 않았지만 아무것도
하지 않을 수 없었고 그것이 나를 더욱
아무것도 하고 싶지 않게 만들었다.
한참 누워 노래 듣다가 겨우겨우
일어나 메카스 파일을 열었다. 매일
조금씩이라도 작업하려고 하는데,
쉽지 않다. 여기저기서 튀어나오는
'인생의 벼룩들'이 너무 많아.

    전에 메카스 일기를 읽을 때도
그랬지만, 메카스의 사고방식에는
어딘지 나와 비슷한 구석이 있다. 아니면
또 내가 몰두하는 대상에 대해 과몰입을
하고 있는 걸 수도 있고…….
    그래도 오늘따라 집중이 잘된다고
생각하며 번역을 하고 있는데, 세 시
조금 안 돼서 지돈 씨한테 전화가
걸려왔다. 다다음 달 부산에서 하는 행사
관련해서 이야기했는데, 마무리는 늘
똑같은 투덜거림이었다. 시간이 너무
없다, 시간만 없는 것은 아니지만…….
    그리고 다시 요나스 메카스를
번역하는데 마침 이런 문장이 나와서
울컥했다.

> 나는 늘 무척 바쁘고, 친구들에게
> 소홀하고, 그들에게 전화하지 않으며,
> 몇몇 친구들은 거의 피하기까지
> 한다. 내가 어떻게 이 모든 세속적인
> 비즈니스에 붙들리게 되었는지,
> 어떻게 시간에 대한 통제력을
> 잃어버렸는지 모르겠다. 내게는
> 이렇게 타이핑할 시간을 빼면
> 아무것도 할 시간이 없다. 타이핑, 왜
> 하는지도 모르면서 하는 타이핑.

이러니 과몰입을 하지 않을 수가
없다…….

일을 해야 하는데 비가 왔고, '일기들 노트들 그리고 스케치들'이라는 부제가 붙은 메카스의 ⟨월든⟩을 봤다. 아무래도 초창기 영화라 ⟨나는 우연히 아름다움의 섬광을 보았다⟩에 비하면 훨씬 거칠지만 그럼에도 아름다운 영화였다. 서커스처럼 '볼 만한' 무언가를 찍는 것보다는 그냥 일상적인 공간이, 자연보다는 도시가 더 좋았으며, 아이들과 강아지와 고양이와 당나귀들이 많이 나오는 게 좋았다. 굳이 러닝타임이 2시간 56분이나 될 필요가 있었는지는 모르겠지만, 다시 생각하면 꼭 그랬어야 했다는 생각도 든다. 뭐라고 말하면 좋을까? 어떤 하루는 더 길고, 어떤 일기는 더 길 것을 요구하는 것 같다.

요나스 메카스는 말한다.

> 그들은 내가 탐색하며 살아야 한다고 말한다. 하지만 난 내가 보는 것들을 기념할 뿐이다. 난 무엇도 탐색하지 않는다. 난 행복하다.

그러니까 이건 탐색이 아니고 분석이나 해설도 아니고 베일을 벗기거나 의미를 덧씌우는 것도 아니며 있는 그대로의 다큐멘터리는 더더욱 아니다. 이것은 기념이고 기념이란 기본적으로 기념할 대상들을 나열하는 것이다. 그리고 잘만 보면 인생에는 우리가 기념할 수 있는 것이 아주 많다, 라고 요나스 메카스는 말하는 것 같다. 삶의 기념. celebration of life.

> 그저 이 이미지들을 보라. 별일 일어나지 않는다. 이미지들을 보는 동안 비극도, 드라마도 긴장감도 없다. 그저 나와 주변인들이 있을 뿐이다. 이걸 반드시 볼 필요는 전혀 없다. 하지만 괜찮다면 그저 앉아서 이 이미지들을 볼 수도 있다.

그래서 나는 그렇게 한다. 일은 하지 않고, 볼 필요는 없는 이미지들을, 본다.

2023년 6월 9일 금요일

메카스 영어의 특징은 쉬운 단어와 비교적 단순한 문장을 사용한다는 것이다. 성인이 되어 이민을 왔으니 어쩌면 당연한 일이다. 하지만 쉬운 단어와 단순한 문장을 굉장히 정확하고 힘 있게 사용하는데, 그게 내가 그의 일기를 보며 느낀 감상이었다. 영화에서 나오는 내레이션도 마찬가지고. 그런데 이건 소설이라서 그런가? 좀처럼 끝나지 않는 문장을 지나치게 자주 구사하는데, 막 복잡한 복문은 아니고 중문이 대부분이라 이걸 어떻게 살려서? 효과적으로? 번역해야 할지 종종 고민이 된다. 그리고 그렇게 늘어진 문장이 좀 이상하게 꼬이는 경우도 아주 가끔 있고. idea나 break 같은 간단한 단어의 여러 뜻을 가지고 말장난하는 부분도 종종 있고. 아무래도 시인이라서 그렇겠지. 시인…… 정말 싫다…….

181

"그러니까 번역을 한다고 하질 말았어야지." 어디선가 이상우의 목소리가 들리는 것 같다.

2023년 6월 13일 화요일

어떻게 저녁이 되었는지 모르겠는데, 그때부터 정신 차리고 번역을 시작했다. 그래도 제법 집중이 잘된 날이었다. 중간에 간단하게 간식 먹으면서 야구 스코어 확인한 것 빼면 쭉 붙어서 했다. A4 네 장. 나중에 다시 읽으며 손볼 생각으로 쓱쓱 넘긴 부분도 몇 군데 있긴 하지만. 정말이지 빌어먹을 쉼표가 너무 많다…….

2023년 6월 14일 수요일

머리가 깨질 것처럼 아팠다. 아스피린 두 알 먹고 나갈 때까지 메카스 번역했다.
밤의 강변북로를 달려 강을 건넜다. 지은이 만나 짐 싣고 돌아오려는데, 해외

발령받은 분 환송회하는 중이었다고,
잠깐 들렀다 가지 않겠느냐고 해서 별
생각 없이 그러자고 했다. 막상 자리에
가니 오늘의 주인공이 '현존 작가'를
만나는 건 처음이라고, 본인도 작가가
되는 게 꿈이었다고, 지금도 무라카미
하루키처럼 오늘은 바르셀로나에서
내일은 토스카나에서 오전에는 달리기
하고 오후에는 글 쓰고 저녁에는
위스키 마시면서 살고 싶다며 지나치게
반갑게 맞아줘서 조금 미안했다.
난생 처음으로 만나는 '현존 작가'가
별로 유명하지 않은 나 같은 작가라는
사실이……

그러면서 자신만의 창의성을
가지고 일하시는 분들이 부럽고
멋있다는 이야기를 몇 번이나 반복해서
하시는데, 조금 민망하기도 하면서
마침 오늘 작업한 요나스 메카스의
말이 떠오르기도 했다. 물론 입 밖으로
꺼내지는 않았다. 이런 부분이었다.

나는 창의성을 혐오한다. 창의성은,
인생이나 예술에서, 아마도 내가
첫 번째로 싫어하는 것이다. 영화,
특히 영화에서. 그리고 음식, 그래,
음식에서도. 그 모든 창의적인 요리들,
특히 뉴에이지 사람들이 만든 음식들,
나는 그것들을 보기만 해도 토할
것 같다. 그래서 나는 밖으로 나가
단순한, 옛날식의 햄버거를 먹고,
핫도그를 먹는다. 창의적인 것을
하는 사람들을 뭔가 혼내줄 방법이
있어야만 하는데, 그들은 정상적인
인간 발달의 적, 자연 발달의 적이다.
자 자 자, 오스카 와일드가 이런
말을 들으면 뭐라고 할까, 나는 문득
생각했다. 그래서 어쩌라고, 친애하는
오스카여, 원하는 대로 생각하시길,
당신 생각에는 쥐뿔도 관심 없으니까.

2023년 6월 15일 목요일

번역은 이제 막바지(한참 더 고치고 다듬어야겠지만)에 접어들었고 특히 오늘은 좀 재밌었다. 약간 '쓰고 있는 나를 봐 쓰고 있어' 같은 흐름에서 젊은 시절 이야기가 들어가기도 하고 속내를 밝히기도 하면서 뭐랄까, '진정성'이 주입되는 느낌이랄까. 창의성이니 나발이니 하는 것들을 경멸하는 요나스 메카스지만 그럼에도, 혹은 그렇기 때문에 진정성은 좋아할 것 같다. A4 두 장.

2023년 6월 21일 수요일

마지막 순간까지 일에서 달아나고 달아나고 달아나다가 더는 달아날 수 없는 시점이 되어서야 번역 파일 열었다. 그리고 두 시간 동안 집중해서 끝냈다. 일단은. 두 시간이면 되는 걸 가지고 어제부터 대체 몇 시간을 도피하고 있었던 건지 생각하면 조금 어지럽기도 하지만 이제 나도 중년이고 하니 조금 넓은 마음으로 그것 역시 모두 필요한 시간이었다고 생각하기로 한다.

사실 지금부터가 시작인데, 쉼표로 이어진 그 수많은 문장들을 대체 어떻게 살릴 것인가? 처음엔 영감님? 왜요? 저한테 왜 그러셨어요? 같은 생각이었는데, 다시 생각하면 메카스 영화에서 종종 볼 수 있는 겹치는 이미지들, 빠르게 이어지고 연결되는 이미지들을 문장으로 구현한 게 아닌가 싶다. 그걸 한국어로 옮기는 게 내 몫이고. 이렇게까지 많은 몫을 바란 건 아니었는데.

2023년 6월 29일 목요일

일주일 넘게 묵혀두었던 메카스 원고 열어서 퇴고 시작했고, 시간 가는 줄 모르고 했다. 이미 있는 문장들을 다듬고 수정하여 배치하는 것이야말로 내가 잘하는 일이다.

다시 생각해보니 여기서 메카스가 쉼표를 많이 사용하는 건, 끊길 듯 끊어지지 않는, 메카스가 우연히 발견해 타자기에 끼워 소설을 쓰고 있는 컴퓨터 용지 한 롤을 가리키는 것일 수도 있다는 생각이 들었다. 왜 이제야 생각난 거지?

어느덧 두 시 반이고 이제는 자야 한다. 자지 않아도 되면 좋겠다, 아니 마음껏 잘 수 있으면 좋겠다. 아무리 지치고 피곤하더라도 바보 같은 욕망을 가지지는 말자. 아무튼 오늘도 일 많이 했다. 푹 좀 잤으면.

2023년 6월 30일 금요일

식탁에서 홀짝홀짝 상그리아 마시면서 요나스 메카스 번역을 퇴고했다. 마침 요나스 메카스도 와인 마시면서 글을 쓰고 있었다. 화이트 와인. 상그리아 한 병을 다 마셨는데 별로 취하지 않아서 맥주도 한 캔 땄다. 거의 식탁 앞에 딱 붙어서 작업했다. 그리하여 지금은 새벽 세 시. 오늘도 정말 열심히 했네. 그런데 왜 끝이 나기는커녕 쌓여 있는 일이 더 늘어만 가는 것 같지?

2023년 7월 1일 토요일

근데 진짜 신기한 건 번역 원고를 거듭해서 보면 볼수록 잘 보인다는 거다. 전에는 보이지 않던 것들이 전혀 다르게 보였던 것들이 새롭게 보이는데, 그게 글쓰기랑 결정적으로 다른 점 같고, 오늘 잘 보여서 수정했는데 다음에 보면 또 다르게 보이면 어떡하지?

오늘은 normal을 어떻게 번역해야 할지 한참 고민했다.

어떻게 내가 다른 사람들처럼, normal이 될 수 있을까? 물론, 나는 normal이고 싶고, 내가 normal이라고 상상하며, 심지어 normal person 같은 인상을 주거나 normal person처럼 보이는 데 그럭저럭 성공하기도 한다……. 하지만 직시하자, 불가능하다. 그건 불가능하다.

보통(의)/평범(한)이라고 하자니
그럼 자기는 특별하고 비범하다는
건가? 하는 생각이 들고 그렇다고
정상(적인)이라고 하자니 PC하지 않은
것 같기도 하고. 진짜 번역 너무 어렵고
번역하시는 선생님들 모두 존경하고
다시는 번역을 하지 않겠다, 내가 다시는
하지 않겠다고 생각한 것을 정말 다시
하지 않았다면 지금쯤 나는 전혀 다른
삶을 살고 있었겠지만⋯⋯.

인스타그램에서 '70년대 자신의
전성기 영화의 한 장면을 보는 성룡
아저씨'라는 영상이 있기에 봤는데,
성룡이 건물 3~4층에서 등으로

떨어지며 어닝을 치고 내려가는 특유의
액션 장면이 먼저 나왔다. 그리고 그걸
보는 현재의 성룡이 나왔는데, 보기
전까지는 '아 저때 정말 아팠지, 그래도
저땐 내가 좀 날렸었는데' 같은 이야기를
하려나 했지만, 아니었다. 성룡은 아무
말 없이 눈물을 닦았고, 이내 오열했다.
그건 어떤 눈물이었을까. 그러면서 문득
궁금해졌다. 새로운 영화를 만들기 위해
과거에 찍었던 수많은 필름들을 다시
보는 메카스는 무슨 생각을 했을까?
⋯⋯메카스 끝까지 다 봤다.
월요일에 프린트해서 한 번 보고 보내면
될 것 같다. 드디어.

2023년 7월 2일 일요일

심사하다가 갑자기 메카스 원고 내일
보려면 미리 출력해둬야겠다 싶어서
프린트했다. 전부 22쪽이었고, 모아서
찍으니 11장이었다. 그런데 5장 나오고
종이가 떨어졌다.

뒤집어서 뒷장에 출력해야 하나?
근데 그래도 한 장이 모자라는데. 그래서
종이를 찾다가 전에 나윤이 이름표
뽑다가 사이즈가 안 맞아서 이면지로
쓰려고 뒀던 한 장을 발견했다. 딱
됐네. 여섯 장을 뒷면에 인쇄되게 넣고
다시 시작 버튼을 눌렀다. 징징징징—
한참 인쇄가 되나 싶더니 또 종이가

부족하다는 에러 메시지가 떴다. 여섯
장을 더 출력해야 해서 여섯 장을
넣었는데, 어디 걸린 것도 아니고, 뭐지?
　그래서 확인해보니까 중간에 두 장이
인쇄되지 않은 채로 정전기 때문에
붙어서 딸려 나온 모양이었다. 두 장을
다시 넣고 인쇄를 완료했다. 그리하여 내
〖수동 타자기를 위한 레퀴엠〗은 이렇게
뒤죽박죽으로 완성되었다.

앞면 1-2쪽 / 뒷면 19-20쪽
앞면 3-4쪽 / 뒷면 17-18쪽
앞면 5-6쪽 / 뒷면 (나윤이 이름표)
앞면 7-8쪽 / 뒷면 21-22쪽
앞면 9-10쪽 / 뒷면 13-14쪽
앞면 11-12쪽 / 뒷면 15-16쪽

1997년 3월 25일 테이블 아래에서
우연히 컴퓨터 용지 한 롤을 발견한
메카스는 그것을 다 써버리기 위해
그로서는 이례적인 작업을 하기로
한다. 바로 소설을 쓰기로 한 것이다.
종이가 끝나면 소설도 끝나리라고
다짐하면서. 물론 소설 쓰기는 쉬운 일이
아닌데, 뉴욕의 예술 영화계는 그를
잠시도 쉬게 두지 않았고, 가끔 시간이
날 때면 우나와 세바스찬 두 아이들이
정신을 산만하게 만들었기 때문이다.
그의 소설은 '인생의 벼룩들' 때문에
끊임없이 끊어지고, 심지어 컴퓨터 용지
롤도 비참하게 끊어졌지만, 그럼에도
그의 소설은 계속해서 이어졌다. 어느
순간 그는 컴퓨터 용지 대신 그가
그토록 사랑하는 '진짜' 종이에 소설을
쓰기 시작한다("할렐루야 할렐루야
할렐루야!"). 그는 에릭 사티가
그랬던 것처럼 아무것도 버리지 않는
사람이었고(아마 그가 일기 영화를
찍은 이유도 이와 무관하지 않을 것
같다) 아파트 가득 잡동사니를 쌓아놓고
살았다. 어느 날 메카스는 소설을 쓴
'진짜' 종이 낱장들을 실수로 바닥에
떨어트린다. 메카스라는 존재 본연의

혼돈과 함께 종이는 상승하는 엔트로피 속에 휘말린다. 잡동사니들과 뒤얽혀 마구 섞여버린 소설의 페이지들. 그는 쓴다.

> 내가 모든 페이지들을 뒤섞어버렸다는 사실은 본질적으로 아무것도 바꾸지 않는다. 모든 것은, 모든 삶은 엉망진창의 커다란 콜라주일 뿐이고 우리는 언제든지 시작할 수 있으며 그것은 여전히 똑같은, 전적으로 똑같은 그림을 보여주리라.

그래, 그렇게 가는 거지…….

187

2023년 7월 17일 월요일

〈저금통〉을 들으며 리디에서 푸뱅의 『계약직 신으로 살아가는 법』을 읽었다. 그러다 전혀 생각지도 못하게 요나스 메카스 역자 후기에 대한 힌트를 얻었는데, '계신살'에서 여러 인물들을 통해 보여주는 신경다양성의 스펙트럼처럼, 어쩌면 메카스가 일반적인 극영화를 찍지 않고 일기 영화라는 장르에 몰두한 것도 어쩌면(말하자면) 뇌의 회로가 전연 다르기 때문인지도 모르겠다는 생각이 든 것이다.
　메카스는 분노를 이해할 수 없다고 말한다. 분노는 갈등의 원인이거나 결과이고, 드라마에서 빠질 수 없는 것이다. 분노를 이해할 수 없다는 말은 갈등을 이해할 수 없다는 말이다. 따라서 메카스에게 인생이란 극적 갈등을 중심으로 극화할 수 있는 것이 아니고, 그렇기에 그는 인생의 하루하루를 '기념하는' 방식으로 나열할 수밖에 없는 것이다……. 이걸 좀 더 다듬어서 말하면 좋을 듯?
　때때로 이러한 작가의 성향은 미학의 문제 혹은 윤리의 문제로 여겨지곤 하지만(그리고 그건 미학의 문제

혹은 윤리의 문제가 맞지만) 동시에 뇌 구조의 문제이며 유전자의 문제일 수 있다. 고수의 맛을 느낄 수 있는 유전자가 있느냐 없느냐에 따라 고수를 즐길 수 있는지 없는지 갈리듯이(고수의 맛을 느낄 수 있다고 무조건 고수를 좋아하는 건 아니지만, 고수의 맛을 느낄 수 있는 유전자가 없다면 고수에서 비누 맛을 느낀다고), 누군가는 갈등을 견딜 수 있는 유전자가 없기에 일반적인 극영화를 만들 수 없는 것이다. 그래서 내가 소설을 쓸 수 없는 것이고…… 소름…….

그러고 보니 〈우연히 나는 아름다움의 섬광을 보았다〉에도 이런 내레이션이 있었다.

> 미안하다, 이 영화에서, 아직까지 특별한 게 일어나지 않아서, 미안하게 생각한다. 평범한 일상생활일 뿐이다. 드라마도 없고, 대단한 클라이맥스나 긴장도 없다. 사실, 이 영화의 제목으로 일어날 일을 알 수 있다. 여러분은 내가 서스펜스를 좋아하지 않는다는 걸 알았을 것이다. 앞으로 일어날 일을, 정확하게 알기를 바란다. 비록 별일이 일어나진 않지만. 계속하자, 뭔가 일어날 수도 있을 거다, 어쩌면, 만일에, 그렇지 않다면, 어쨌든 계속하자, 인생이 그런 거니까, 거기서 거기니까, 늘 같으니까. 그날이 그날이고, 그 시간이 그 시간이다.

그게 내가 일기를 미치도록 좋아하는 이유다…….

2023년 7월 24일 월요일

자다 깨서 메카스 역자 교정을 봤다. 새벽 네 시. 언제부턴가 내가 쓴 글은 퇴고를 거의 안 하는데, 늘 마감을 넘겨서 퇴고를 할 시간이 없다……. 그런데 전에 번역한 오웰 『동물농장』도 그렇고 메카스 『수동 타자기를 위한

레퀴엠』도 그렇고 진짜 몇 번이나
반복해서 봤는지 모르겠다. 번역하는
동안에도 계속 앞으로 돌아가서
읽었으니까. 번역 정말 너무 어렵지만
그래도 재밌고 매력이 있는 것 같다.
물론 두 번 다시는 안 할 테지만. 내가
다시 하지 않을 일들의 목록. 1) 번역 2)
해설……

2023년 7월 28일 금요일

지돈 씨랑 같이 유운성 선생님이랑
사모님 만났다. 『우리는 가끔
아름다움의 섬광을 보았다』 전해드리고
파스타 먹으며 이런저런 이야기를 했다.
　유운성 선생님이 가을께 출간 예정인
조너선 크레리의 『지각의 정지: 주의,
스펙터클, 근대문화』 번역하는데
원고지 2000매가 넘어서 당황했다고
진짜 이런 작업은 나 같은 프리랜서가
할 게 아니구나 생각했다고 해서 내가
말했다. 저도 가을께 요나스 메카스의
『수동 타자기를 위한 레퀴엠』이 나올
예정이라고, 200매밖에 되지 않는다고,
그런데도 이런 작업은 나 같은 사람이 할
게 아니구나 생각했다고…….
　커피숍으로 자리를 옮겨 요나스
메카스 이야기도 한참 했다. 다음은
유운성 선생님이 들려주신 이야기를
기억나는 대로 옮긴 것이다: 요나스
메카스가 다이어리 필름을 찍었다고
하지만 다른 사람들에게 카메라를
넘기기를 주저하지 않았던 메카스의
영화를 정말 '다이어리'라고 할 수
있는지 의문이다, 사실 메카스는
극영화를 하고 싶어 했고 데뷔작도
극영화였고 이후로도 몇 번이나
시도했지만 뉴욕 언더그라운드
영화계를 위해 돈을 모으는 등의 일로
너무 바빠서 만들 시간이 없었다, 마이클
스노의 영화를 해외 영화제(이름이 기억
안 남)에 출품하라고 한 사람이 요나스
메카스였고 돈 한 푼 없던 스노를 대신해
출품비와 비행기표를 마련해준 사람도

바로 메카스다, 그는 실제로 턱시도를 차려입고 부유한 사람들과 만나 직접 후원금을 받곤 했다, 그런 일들로 바쁜 상황에서 그때그때 카메라를 들고 할 수 있는 걸 한 거라고 봐야 한다, 그의 영화에는 어두운 사정들이 전혀 나와 있지 않지만 실은 늘 허덕이며 겨우겨우 살았다, 수십 년 만에 고향으로 돌아가 친척들을 만나는 ‹리투아니아 여행의 추억›에서도 실은 그들 사이에는 공유하는 게 하나도 없어서 카메라가 멈추면 할 말이 하나도 없었다, 그렇지만 영화에는 그런 것들이 나오지 않았다, 사람들이 종종 메카스 영화를 보고 나도 매일매일 반짝이는 순간을 조금씩 찍어서 요나스 메카스처럼 만들어볼까? 하는 이야기를 하는데 메카스 영화는 실은 그것과는 전혀 다르다……

힘들게 살다 간 예술가 이야기를 하며 ‹브레슬린 호텔의 해리 스미스› 이야기도 했는데. 말년에 호텔에 체류하던 해리 스미스가 돈이 없어 퇴거 명령을 받았고 결국 강제 집행되었는데 호텔 방에 쌓아두었던 잡동사니들이 끝도 없이 나왔고 그걸 로버트 프랭크가 찍었다고. 에릭 사티도 그렇고 요나스 메카스도 그렇고 다들 뭔가를 엄청 쌓아두었다던데…… 이들 사이에 어떤 공통점이 있다고 볼 수 있을까? 이를테면 메카스의 그런 성향은 매일매일의 순간들을 찍어서 남기는 성향과 연관된다고 치면……

그런데 이런 이야기가 왜 나왔는지 모르겠다. 아마 요나스 메카스에게서 제목을 빌린 우리의 『우리는 가끔 아름다움의 섬광을 보았다』가 생각만큼 잘 팔리지 않았다는 말을 하다가 그랬나?

2023년 7월 31일 월요일

소파에 앉아 문광훈의 『자서전과 반성적 회고』읽었다. 유종호 추천사와 서문 그리고 본문 앞부분을 조금 읽었는데

글쎄…… 게르첸은 분명 중요한 인물이 맞고 그에 대한 책이 거의 없는 상황에서 이 책이 좋은 자료인 건 분명하지만 좋은 책이냐고 하면 아직은 모르겠다는 생각이 들었다. 다만 1장의 제사로 쓰인 조이스의 〖가슴 아픈 사건〗의 문장은 요나스 메카스 역자 에세이를 쓰는 데 조금 도움이 될지도 모르겠다. "자기 행동을 못미더운 곁눈질로 살피면서 자기 육체로부터 약간 거리를 두고" 산, "가끔 삼인칭 주어와 과거형 동사를 사용해 자신에 대한 단문을 마음속으로 지어보는 이상한 자서전적 버릇이 있"는 인물에 대한 묘사였다. 메카스는 쓴다.

191

가고 있어요, 그가 말했다.
종종, 그건 내가 가진 무척 이상한 버릇인데, 나는 나를 삼인칭으로 부른다.

2023년 8월 3일 목요일

브라이언 딜런 〖에세이즘〗을 읽다가 요나스 메카스의 소설을 위해 쓰인 듯한 윌리엄 칼로스 윌리엄스의 문장을 발견했다.

일관성은 모든 작문의 가장 얄팍한, 가장 값싼 속임수다. 지성의 진부함을 가장 분명하게 드러내 보이는 것으로 일관성만 한 것이 없다. 좀처럼 관심이 가지 않는 하찮은 것으로도 일관성만 한 것이 없다. 모든 글에는, 그게 무슨 글이든, 일관성이 있기 마련이다. 미숙한 글이나 못 쓴 글은 특히나 끔찍할 정도로 일관적이다.

2023년 8월 7일 월요일

요나스 메카스도 〈우연히 나는 아름다움의 섬광을 보았다〉에서 윌리엄 칼로스 윌리엄스를 인용한다.

시인이란 자고로 애매하게 말하지 않고 우주를 발견하기 위해서는

의사가 환자를 보듯이 자기 앞에 놓인
것을 특정해서 이야기해야 한다.

2023년 8월 9일 수요일

추상적인 세계는 일관적일 수 있다.
우리 앞의 세계는 일관적이지 않다.
만들어진 영화에는 일관성이 있어야
한다. 그냥 찍은 영화에는 일관성이
없어도 되고 있을 수도 없다. 소설에는
일관성이 있어야 한다고들 하지만
어떤 소설에는 일관성이 없고, 한없이
일기를 닮은 소설에는 더더욱 없다,
라고 그는 생각했다. 이제 마침표를
찍어야 할 시간이지만 어쩐지 그는
머뭇거리고, 흘끔거리며, 뒤를 돌아본다.
수동 타자기가 아닌 기계식 키보드를
두드리는 그는, 한 롤의 컴퓨터 용지
혹은 진짜 종이 대신에 모니터를
바라보며 타이핑을 하는 그는, 그러나
마침표 대신 쉼표를 누르던 메카스
영감님의 마음을, 손가락을 어쩐지
이해할 것 같다고 느끼며 메카스의
아코디언 연주에 맞춰 이렇게
노래하고픈 충동을 느낀다.

내가 어디 있는지 모른다, 내가
어디 있는지 모르지만, 아름다운
순간을 경험했다, 행복하고 아름다운
순간을, 전진하면서, 내 친구들이여!
행복하고 아름다운 순간을, 경험했다,
친구들이여!

192

요나스 메카스

Jonas Mekas(1922-2019). 리투아니아에서 태어나 독일 나치를 피해 1949년 뉴욕에 정착하면서 영화 작업을 시작했다. 앤솔로지 필름 아카이브의 공동 창업자, 영화감독, 작가, 시인이며 실험 예술의 지칠 줄 모르는 옹호자이자 뉴욕의 전설이다.

금정연

『서서비행』『난폭한 독서』『실패를 모르는 멋진 문장들』
『아무튼, 택시』『담배와 영화』『그래서... 이런 말이
생겼습니다』를 쓰고 『문학의 기쁨』『우리는 가끔 아름다움의
섬광을 보았다』 등을 함께 썼다. 『글을 쓴다는 것』『동물농장』
등을 옮겼다.

수동
타자기를
위한
레퀴엠

1판 1쇄 2023년 9월 15일 펴냄

[지은이] 요나스 메카스
[옮긴이] 금정연
[펴낸이] 최선혜

[편집] 최선혜
[디자인] 오혜진(오와이이)
[인쇄 및 제책] 세걸음

[펴낸곳] 시간의흐름
[출판등록] 제2017-000066호
[주소] 서울시 마포구 토정로 33
[이메일] deltatime.co@gmail.com

ISBN 979-11-90999-16-8 03680